LES CAVES DU VATICAN

ŒUVRES D'ANDRÉ GIDE

Poésies

LES CAHIERS ET LES POÉSIES D'ANDRÉ WALTER.
LES NOURRITURES TERRESTRES — LES NOUVELLES NOURRITURES.
AMYNTAS.

Soties

LES CAVES DU VATICAN.   LE PROMÉTHÉE MAL ENCHAÎNÉ.
PALUDES.

Récits

ISABELLE.   L'ÉCOLE DES FEMMES, *suivi*
LA SYMPHONIE PASTORALE.   *de* ROBERT *et de* GENEVIÈVE.
THÉSÉE.

Roman

LES FAUX-MONNAYEURS.

Divers

LE VOYAGE D'URIEN.
LE RETOUR DE L'ENFANT PRODIGUE.
SI LE GRAIN NE MEURT.
VOYAGE AU CONGO.
LE RETOUR DU TCHAD.
MORCEAUX CHOISIS.
CORYDON.
INCIDENCES.
DIVERS.
JOURNAL DES FAUX-MONNAYEURS.
RETOUR DE L'U.R.S.S.
RETOUCHES A MON RETOUR DE
L'U.R.S.S.
PAGES DE JOURNAL 1929-1932.

NOUVELLES PAGES DE JOURNAL
DÉCOUVRONS HENRI MICHAUX.
JOURNAL 1939-1942.
JOURNAL 1942-1949.
INTERVIEWS IMAGINAIRES.
AINSI SOIT-IL OU LES JEUX SONT FAITS.
LITTÉRATURE ENGAGÉE, *textes réunis et présentés par Yvonne Davet.*
ŒUVRES COMPLÈTES (15 vol.).
DOSTOÏEVSKI (*Coll. Idées*).
NE JUGEZ PAS :
Souvenirs de la cour d'assises.
L'affaire Redureau.
La séquestrée de Poitiers.

ANDRÉ GIDE

Les caves du Vatican

SOTIE

GALLIMARD

à JACQUES COPEAU

LIVRE PREMIER

ANTHIME ARMAND-DUBOIS

> *Pour ma part, mon choix est fait. J'ai*
> *opté pour l'athéisme social. Cet athéisme,*
> *je l'ai exprimé depuis une quinzaine d'années,*
> *dans une série d'ouvrages...*
>
> GEORGES PALANTE.
>
> Chronique philosophique du *Mercure*
> *de France* (Déc. 1912).

I

L'an 1890, sous le pontificat de Léon XIII, la renommée du docteur X, spécialiste pour maladies d'origine rhumatismale, appela à Rome Anthime Armand-Dubois, francmaçon.

— Eh quoi? s'écriait Julius de Baraglioul, son beau-frère, c'est votre corps que vous vous en allez soigner à Rome! Puissiez-vous reconnaître là-bas combien votre âme est plus malade encore!

A quoi répondait Armand-Dubois sur un ton de commisération renchérie :

— Mon pauvre ami, regardez donc mes épaules.

Le débonnaire Baraglioul levait les yeux malgré lui vers les épaules de son beau-frère; elles se trémoussaient, comme soulevées par un rire profond, irrépressible; et c'était certes grand-pitié que de voir ce vaste corps à demi perclus occuper à cette parodie le reliquat de ses disponibilités musculaires. Allons! décidément leurs positions étaient prises, l'éloquence de Baraglioul n'y pourrait rien changer. Le temps peut-être? le secret conseil des saints lieux... D'un air immensément découragé, Julius disait seulement :

— Anthime, vous me faites beaucoup de peine (les épaules aussitôt s'arrêtaient de danser, car Anthime aimait son beau-frère). Puissé-je, dans trois ans, à l'époque du jubilé, lorsque je viendrai vous rejoindre, puissé-je vous trouver amendé!

Du moins Véronique accompagnait-elle son époux dans des dispositions d'esprit bien différentes : pieuse autant que sa sœur Marguerite et que Julius, ce long séjour à Rome répondait à l'un des chers entre ses vœux; elle meublait de menues pratiques pieuses sa monotone vie déçue, et, bréhaigne, donnait à l'idéal les soins que ne réclamait d'elle aucun enfant. Hélas! elle ne gardait pas grand espoir de ramener à Dieu son Anthime. Elle savait depuis longtemps de quel entêtement était capable ce large front barré de quel déni. L'abbé Flons l'avait avertie :

— Les plus inébranlables résolutions, lui disait-il, madame, ce sont les pires. N'espérez plus que d'un miracle.

Même, elle avait cessé de s'attrister. Dès les premiers jours de leur installation à Rome, chacun des deux époux, de son côté, avait réglé son existence retirée : Véronique dans les occupations du ménage et dans les dévotions, Anthime dans ses recherches scientifiques. Ils vivaient ainsi l'un près de l'autre, l'un contre l'autre, se supportant en se tournant le dos. Grâce à quoi régnait entre eux une manière de concorde, planait sur eux une sorte de demi-félicité, chacun d'eux trouvant dans le support de l'autre l'emploi discret de sa vertu.

L'appartement qu'ils avaient loué par l'entremise d'une agence présentait, comme la plupart des logements italiens, joints à d'imprévus avantages, de remarquables inconvénients. Occupant tout le premier étage du palais

Forgetti, via in Lucina, il jouissait d'une assez belle terrasse, où tout aussitôt Véronique s'était mis en tête de cultiver des aspidistras, qui réussissent si mal dans les appartements de Paris; mais, pour se rendre sur la terrasse, force était de traverser l'orangerie dont Anthime avait fait aussitôt son laboratoire, et dont il avait été convenu qu'il livrerait passage de telle heure à telle heure du jour.

Sans bruit, Véronique poussait la porte, puis glissait furtivement, les yeux au sol, comme passe un convers devant les *graffiti* obscènes; car elle dédaignait de voir, tout au fond de la pièce, débordant du fauteuil où s'accotait une béquille, l'énorme dos d'Anthime se voûter au-dessus d'on ne sait quelle maligne opération. Anthime, de son côté, affectait de ne la point entendre. Mais, sitôt qu'elle avait repassé, il se soulevait lourdement de son siège, se traînait vers la porte et, plein de hargne, les lèvres serrées, d'un coup d'index autoritaire, vlan! poussait le loquet.

C'était l'heure bientôt où, par l'autre porte, Beppo le procureur entrait prendre les commissions.

Galopin de douze ans ou treize, en haillons, sans parents, sans gîte, Anthime l'avait remarqué peu de jours après son arrivée à Rome. Devant l'hôtel où le couple était d'abord descendu via di Bocca di Leone, Beppo sollicitait l'attention du passant au moyen d'un criquet blotti sous une pincée d'herbe dans une petite nasse de jonc. Anthime avait donné dix sous pour l'insecte, puis, avec le peu d'italien qu'il savait, tant bien que mal avait fait entendre à l'enfant que, dans l'appartement où il devait emménager le lendemain, via in Lucina, il aurait bientôt besoin de quelques rats. Tout ce qui rampait, nageait, trottait ou volait servait à le documenter. Il travaillait sur la chair vive.

Beppo, procureur-né, aurait fourni l'aigle ou la louve du Capitole. Ce métier lui plaisait qui flattait son goût de maraude. On lui donnait dix sous par jour; il aidait, d'autre part, au ménage. Véronique d'abord le regardait d'un mauvais œil; mais du moment qu'elle le vit se signer en passant devant la Madone à l'angle nord de la maison, elle lui pardonna ses guenilles et lui permit de porter jusqu'à la cuisine l'eau, le charbon, le bois, les sarments; il portait même le panier quand il accompagnait Véronique au marché — le mardi et le vendredi, jours où Caroline, la bonne qu'ils avaient amenée de Paris, était trop occupée par le ménage.

Beppo n'aimait pas Véronique; mais il s'était épris du savant, qui bientôt, au lieu de descendre péniblement dans la cour prendre livraison des victimes, permit à l'enfant de monter au laboratoire. On y accédait directement par la terrasse, qu'un escalier dérobé reliait à la cour. Dans sa revêche solitude, le cœur d'Anthime battait un peu lorsque approchait le faible claquement des petits pieds nus sur les dalles. Il n'en laissait rien voir : rien ne le dérangeait de son travail.

L'enfant ne frappait pas à la porte vitrée : il grattait; et, comme Anthime restait courbé devant sa table sans répondre, il avançait de quatre pas et jetait de sa voix fraîche un " permesso? " qui remplissait d'azur la pièce. A la voix on eût dit un ange : c'était un aide-bourreau. Dans ce sac qu'il posait sur la table à supplice, quelle nouvelle victime apportait-il? Souvent, trop absorbé, Anthime n'ouvrait pas le sac aussitôt; il y jetait un rapide coup d'œil; du moment que la toile tremblait, c'était bien : rat, souris, passereau, grenouille, tout était bon pour ce Moloch. Parfois Beppo n'apportait rien; il entrait tout de même : il savait qu'Armand-Dubois l'attendait, fût-ce

les mains vides ; et, tandis que l'enfant silencieux aux côtés
— du savant se penchait vers quelque abominable expérience,
je voudrais pouvoir assurer que le savant ne goûtait pas
un vaniteux plaisir de faux dieu à sentir le regard étonné du
petit se poser, tour à tour, plein d'épouvante, sur l'animal,
plein d'admiration sur lui-même.

En attendant de s'attaquer à l'homme, Anthime Armand-
Dubois prétendait simplement réduire en " tropismes "
toute l'activité des animaux qu'il observait. Tropismes !
Le mot n'était pas plus tôt inventé que déjà l'on ne comprenait plus rien d'autre ; toute une catégorie de psychologues
ne consentit plus qu'aux *tropismes*. Tropismes ! Quelle
lumière soudaine émanait de ces syllabes ! Évidemment
l'organisme cédait aux mêmes incitations que l'héliotrope
lorsque la plante involontaire tourne sa fleur face au soleil
(ce qui est aisément réductible à quelques simples lois de
physique et de thermo-chimie). Le cosmos enfin se douait
d'une bénignité rassurante. Dans les plus surprenants
mouvements de l'être on pouvait uniment reconnaître
une parfaite obéissance à l'agent.

Pour servir à ses fins, pour obtenir de l'animal maté
l'aveu de sa simplicité, Anthime Armand-Dubois venait
d'inventer un compliqué système de boîtes à couloirs, à
trappes, à labyrinthes, à compartiments contenant les uns
la nourriture, les autres rien, ou quelque poudre sternuta-
toire, à portes de couleurs ou de formes différentes : instruments diaboliques qui tôt après firent fureur en Allemagne
et qui, sous le nom de *Vexierkasten*, servirent à la nouvelle
école psycho-physiologique à faire un pas de plus dans
l'incrédulité. Et pour agir distinctement sur l'un ou l'autre
sens de l'animal, sur l'une ou l'autre partie du cerveau, il
aveuglait ceux-ci, assourdissait ceux-là, les châtrait, les
décortiquait, les écervelait, les dépouillait de tel ou tel

organe que vous eussiez juré indispensable, dont l'animal, pour l'instruction d'Anthime, se passait.

Son *Communiqué sur les " réflexes conditionnels "* venait de révolutionner l'Université d'Upsal; d'âpres discussions s'étaient élevées, auxquelles avait pris part l'élite des savants étrangers. Dans l'esprit d'Anthime, cependant, s'ameutaient les questions nouvelles; laissant donc ergoter ses collègues, il poussait ses investigations dans d'autres voies, prétendant forcer Dieu dans de plus secrets retranchements.

Que toute activité entraînât une usure, il ne lui suffisait pas de l'admettre *grosso modo*, ni que l'animal, par le seul exercice de ses muscles ou de ses sens, dépensât. Après chaque dépense, il demandait : combien? Et le patient exténué cherchait-il à récupérer, Anthime, au lieu de le nourrir, le pesait. L'apport de nouveaux éléments eût compliqué par trop l'expérience que voici : six rats jeûnants et ligotés entraient quotidiennement en balance; deux aveugles, deux borgnes, deux y voyant; de ces derniers un petit moulin mécanique fatiguait sans cesse la vue. Après cinq jours de jeûne, dans quels rapports étaient les pertes respectives? Sur de petits tableaux *ad hoc*, Armand-Dubois, chaque jour, à midi, ajoutait de nouveaux chiffres triomphaux.

II

Le jubilé était tout proche. Les Armand-Dubois attendaient les Baraglioul d'un jour à l'autre. Le matin que parvint la dépêche annonçant leur arrivée pour le soir, Anthime sortit pour s'acheter une cravate.

Anthime sortait peu; le moins souvent possible, se remuant malaisément; Véronique faisait volontiers pour

lui ses emplettes; on amenait à lui les fournisseurs, qui
prenaient commande d'après modèle. Anthime ne se
souciait plus des modes; mais, pour simple qu'il désirât
sa cravate (modeste nœud de surah noir), encore la voulait-
il choisir. Le plastron en satin carmélite, qu'il avait acheté
pour le voyage et mis durant son séjour à l'hôtel, s'échappait constamment du gilet, qu'il avait accoutumé de porter
très ouvert; Marguerite de Baraglioul trouverait certainement trop négligé le foulard crème qui l'avait remplacé, et
que maintenait, monté sur épingle, un vieux gros camée
sans valeur; il avait eu bien tort de quitter les petits nœuds
noirs tout faits qu'il portait à Paris communément, et
surtout de n'en pas garder un pour modèle. Quelles formes
allait-on lui proposer? Il ne se déciderait pas avant d'avoir
visité plusieurs chemisiers du Corso et de la via dei Con-
dotti. Les coques, pour un homme de cinquante ans,
étaient trop libres; décidément c'était un nœud tout droit,
d'un noir bien mat, qui convenait...

Le déjeuner n'était que pour une heure. Anthime rentra
vers midi avec l'emplette, à temps pour peser ses animaux.

Ce n'était pas qu'il fût coquet, mais Anthime éprouva
le besoin d'essayer sa cravate avant de se mettre au travail.
Un débris de miroir gisait là, qui lui servait naguère à
provoquer des tropismes; il le posa de champ contre une
cage et se pencha vers son propre reflet.

Anthime portait en brosse des cheveux encore épais,
jadis roux, aujourd'hui de cet inconstant jaune grisâtre
que prennent les vieux objets d'argent doré; ses sourcils
avançaient en broussailles au-dessus d'un regard plus gris,
plus froid qu'un ciel d'hiver; ses favoris, arrêtés haut et
coupés court, avaient conservé le ton fauve de sa moustache
bourrue. Il passa le revers de la main sur ses joues plates,
sous son large menton carré :

— Oui, oui, marmonna-t-il, je me raserai tantôt.

Il sortit de l'enveloppe la cravate, la posa devant lui; enleva l'épingle-camée, puis le foulard. Sa nuque était puissante, qu'encerclait un col demi-haut, échancré par-devant et dont il rabattait les pointes. Ici, malgré tout mon désir de ne relater que l'essentiel, je ne puis passer sous silence la loupe d'Anthime Armand-Dubois. Car, tant que je n'aurai pas plus sûrement appris à démêler l'accidentel du nécessaire, qu'exigerais-je de ma plume sinon exactitude et rigueur? Qui pourrait affirmer en effet que cette loupe n'avait joué aucun rôle, qu'elle n'avait pesé d'aucun poids dans les décisions de ce qu'Anthime appelait sa *libre* pensée? Plus volontiers il passait outre sa sciatique; mais cette mesquinerie, il ne la pardonnait pas au bon Dieu.

Ça lui était venu il ne savait comment, peu de temps après son mariage; et d'abord il n'y avait eu, au sud-est de son oreille gauche, où le cuir devient chevelu, qu'un cicer sans autre importance; longtemps, sous l'abondant cheveu qu'il ramenait en boucle par-dessus, il put dissimuler l'excroissance; Véronique, elle-même, ne l'avait pas encore remarquée, lorsque, dans une caresse nocturne, sa main soudain la rencontrant :

— Tiens! qu'est-ce que tu as là? s'était-elle écriée.

Et comme si, démasquée, la grosseur n'avait plus à garder de retenue, elle prit en peu de mois les dimensions d'un œuf de perdrix, puis de pintade, puis de poule et s'en tint là, tandis que le cheveu plus rare se partageait à l'entour d'elle et l'exposait. A quarante-six ans, Anthime Armand-Dubois n'avait plus à songer à plaire; il coupa ras ses cheveux et adopta cette forme de faux cols demi-hauts dans lesquels une sorte d'alvéole réservée cachait la loupe et la révélait à la fois. Suffit pour la loupe d'Anthime.

Il passa la cravate autour de son cou. Au centre de la

cravate, à travers un petit couloir de métal, devait glisser le ruban d'attache, que s'apprêtait à coincer un bec en levier. Ingénieux appareil, mais qui n'attendait que la visite du ruban pour abandonner la cravate; celle-ci retomba sur la table d'opération. Force était de recourir à Véronique; elle accourut à l'appel.

— Tiens, recouds-moi ça, dit Anthime.

— Travail à la machine : ça ne vaut rien, murmura-t-elle.

— Il est de fait que ça ne tient pas.

Véronique portait toujours, piquées à son caraco d'intérieur, sous le sein gauche, deux aiguilles tout enfilées, l'une de blanc, l'autre de noir. Près de la porte-fenêtre, sans même s'asseoir, elle commença la réparation. Anthime cependant la regardait. C'était une assez forte femme, aux traits marqués; entêtée comme lui, mais accorte après tout, et la plupart du temps souriante, au point qu'un peu de moustache ne durcissait pas trop son visage.

— Elle a du bon, pensait Anthime en la voyant tirer l'aiguille. J'aurais pu épouser une coquette qui m'eût trompé une volage qui m'eût planté là, une bavarde qui m'eût rompu la tête, une bécasse qui m'eût fait sortir de mes gonds, une grinchue comme ma belle-sœur...

Et sur un ton moins rogue que de coutume :

— Merci, dit-il, comme Véronique, son travail achevé, repartait.

La cravate neuve à son cou, Anthime à présent est tout à ses pensées. Plus aucune voix ne s'élève, ni au-dehors, ni dans son cœur. Il a déjà pesé les rats aveugles. Qu'est-ce à dire? Les rats borgnes sont stationnaires. Il va peser le couple intact. Tout à coup un sursaut si brusque que la béquille roule à terre. Stupeur! les rats intacts... il les repèse à neuf; mais non, il faut bien s'en convaincre : les rats intacts, depuis hier, *ont augmenté!* Une lueur traverse son cerveau :

— Véronique!

Avec un grand effort, ayant ramassé sa béquille, il se rue vers la porte :

— Véronique!

Elle accourt de nouveau, obligeante. Alors lui, sur le pas de la porte, solennellement :

— Qui est-ce qui a touché à mes rats?

Pas de réponse. Il reprend lentement, détachant chaque mot, comme si Véronique avait cessé de comprendre facilement le français :

— Pendant que j'étais sorti, quelqu'un leur a donné à manger. Est-ce vous?

Alors elle, qui retrouve un peu de courage, se retourne vers lui presque agressive :

— Tu les laissais mourir de faim, ces pauvres bêtes. Je n'ai pas dérangé ton expérience; simplement je leur ai...

Mais il l'a saisie par la manche et, clopinant, la mène jusqu'à la table où, désignant les tableaux d'observations :

— Vous voyez bien ces feuilles — où depuis quinze jours je consigne mes remarques sur ces bêtes : ce sont celles mêmes qu'attend mon collègue Potier pour en donner lecture à l'Académie des Sciences en sa séance du 17 mai prochain. Ce quinze avril, jour où nous sommes, à la suite de ces colonnes de chiffres, que puis-je écrire? que dois-je écrire?...

Et comme elle ne souffle mot, du bout carré de son index, comme avec un stylet, grattant l'espace blanc du papier :

— Ce jour-là, reprend-il, madame Armand-Dubois, épouse de l'observateur, n'écoutant que son tendre cœur, commit la... qu'est-ce que vous voulez que je mette? la maladresse? l'imprudence? la sottise?...

— Écrivez plutôt : eut pitié de ces pauvres bêtes, victimes d'une curiosité saugrenue.

Il se redresse, très digne :

— Si c'est ainsi que vous le prenez, vous comprendrez, madame, que désormais je doive vous prier de passer par l'escalier de la cour pour aller soigner vos plantations.

— Croyez-vous que j'entre jamais dans votre galetas pour mon plaisir?

— Épargnez-vous la peine d'y entrer à l'avenir.

Puis, joignant à ces mots l'éloquence du geste, il saisit les feuilles d'observations et les déchire en petits morceaux.

" Depuis quinze jours ", a-t-il dit : en vérité ses rats ne jeûnent que depuis quatre. Et son irritation sans doute s'est exténuée dans cette exagération du grief, car à table il peut montrer un front serein; même, il pousse la philosophie jusqu'à tendre à sa moitié une dextre conciliatrice. Car, moins encore que Véronique, il ne se soucie de donner à ce ménage si bien pensant des Baraglioul le spectacle de dissensions dont ceux-ci ne manqueraient pas de faire les opinions d'Anthime responsables.

Vers cinq heures Véronique change son caraco d'intérieur contre une jaquette de drap noir et part à la rencontre de Julius et de Marguerite, qui doivent entrer en gare de Rome à six heures. Anthime va se raser; il a bien voulu remplacer son foulard par un nœud droit : voici qui doit suffire; il répugne à la cérémonie et prétend ne pas désavouer devant sa belle-sœur une veste d'alpaga, un gilet blanc chiné de bleu, un pantalon de coutil et de confortables pantoufles de cuir noir sans talons, qu'il garde même pour sortir, et qu'excuse sa claudication.

Il ramasse les feuilles déchirées, remet bout à bout les fragments, et recopie soigneusement tous les chiffres, en attendant les Baraglioul.

III

La famille de Baraglioul (le *gl* se prononce en *l* mouillé,
à l'italienne. comme dans *Broglie* (duc de) et dans *miglion-
naire*) est originaire de Parme. C'est un Baraglioli (Alessandro) qu'épousait en secondes noces Filippa Visconti,
en 1514, peu de moi après l'annexion du duché aux États
de l'Église. Un autre Baraglioli (Alessandro également)
se distingua à la bataille de Lépante et mourut assassiné en
1580, dans des circonstances qui demeurent mystérieuses.
Il serait aisé, mais sans grand intérêt, de suivre les destinées
de la famille jusqu'en 1807, époque où Parme fut réuni à
la France, et où Robert de Baraglioul, grand-père de Julius,
vint s'installer à Pau. En 1828, il reçut de Charles X la
couronne de comte — couronne que devait porter si
noblement un peu plus tard Juste-Agénor, son troisième
fils (les deux premiers moururent en bas âge), dans les
ambassades où brillait son intelligence subtile et triom-
phait sa diplomatie.

Le deuxième enfant de Juste-Agénor de Baraglioul,
Julius, qui depuis son mariage vivait complètement rangé,
avait eu quelques passions dans sa jeunesse. Mais, du moins,
pouvait-il se rendre cette justice que son cœur n'avait
jamais dérogé. La distinction foncière de sa nature et cette
sorte d'élégance morale qui respirait dans ses moindres
écrits avaient toujours empêchés ses désirs sur la pente où
sa curiosité de romancier leur eût sans doute lâché bride.
Son sang coulait sans turbulence, mais non pas sans chaleur,
ainsi qu'en eussent pu témoigner plusieurs aristocratiques

beautés... Et je n'en parlerais pas ici, si ses premiers romans ne l'avaient clairement laissé entendre; à quoi ils durent en partie le grand succès mondain qu'ils remportèrent. La haute qualité du public susceptible de les admirer leur permit de paraître : l'un dans le *Correspondant*, deux autres dans la *Revue des Deux Mondes*. C'est ainsi que, comme malgré lui, encore jeune, il se trouva tout porté vers l'Académie : déjà semblaient l'y destiner sa belle allure, la grave onction de son regard et la pâleur pensive de son front.

Anthime professait grand mépris pour les avantages du rang, de la fortune et de l'aspect, ce qui ne laissait pas de mortifier Julius; mais il appréciait chez Julius certain bon naturel, et une grande maladresse dans la discussion, qui souvent laissait à la libre pensée l'avantage.

A six heures, Anthime entend stopper devant la porte la voiture de ses hôtes. Il sort à leur rencontre sur le palier. Julius monte le premier. Avec son chapeau cronstadt, son pardessus droit à revers de soie, on le dirait en tenue de visite, non de voyage, n'était le châle écossais qu'il porte sur l'avant-bras; la longueur du trajet ne l'a nullement éprouvé.

Marguerite de Baraglioul suit, au bras de sa sœur; elle, très défaite au contraire, capote et chignon de travers, tré-buchant aux marches, un quartier de visage caché par son mouchoir qu'elle tient en compresse... Comme elle approche d'Anthime :

— Marguerite a un charbon dans l'œil, glisse Véronique.

Julie, leur fille, gracieuse enfant de neuf ans, et la bonne, qui ferment la marche, gardent un silence consterné.

Avec le caractère de Marguerite, il ne s'agit pas de prendre la chose en riant : Anthime propose d'envoyer

quérir un oculiste; mais Marguerite connaît de réputation
les médicastres italiens, et ne veut " pour rien au monde "
en entendre parler; elle souffle d'une voix mourante :

— De l'eau fraîche. Un peu d'eau fraîche, simplement.
Ah!

— Ma chère sœur, effectivement, reprend Anthime,
l'eau fraîche pourra vous soulager un instant en décon-
gestionnant votre œil; mais elle n'enlèvera pas le mal.

Puis, se tournant vers Julius :

— Avez-vous pu voir ce que c'était?

— Pas très bien. Dès que le train s'arrêtait et que
je me proposais d'examiner, Marguerite commençait de
s'énerver...

— Mais ne dis donc pas cela, Julius! Tu as été horriblement maladroit. Pour me soulever la paupière, tu as commencé par me retourner tous les cils...

— Voulez-vous que j'essaie à mon tour, dit Anthime :
je serai peut-être plus habile?

Une facchino montait les malles. Caroline alluma une
lampe à réflecteur.

— Voyons, mon ami, tu ne vas pas faire cette opération
dans le passage, dit Véronique, et elle mène les Baraglioul
à leur chambre.

L'appartement des Armand-Dubois se développait
autour de la cour intérieure où prenaient jour les fenêtres
d'un couloir qui, partant du vestibule, rejoignait l'orangerie. Sur ce couloir ouvraient les portes de la salle à
manger d'abord, puis du salon (énorme pièce d'angle,
mal meublée, dont ne se servaient pas les Anthime), de
deux chambres d'amis préparées, la première pour le couple
Baraglioul, la seconde plus petite pour Julie, auprès de la
dernière chambre, celle du couple Armand-Dubois. Toutes
ces pièces, d'autre part, communiquaient entre elles inté-

rieurement. La cuisine et deux chambres de bonnes donnaient sur l'autre côté du palier...

— Je vous en prie, ne soyez pas tous autour de moi,
gémit Marguerite; Julius, occupe-toi donc des bagages.

Véronique a fait asseoir sa sœur dans un fauteuil et tient
la lampe, tandis qu'Anthime s'attentionne :

— Le fait est qu'il est enflammé. Si vous retiriez votre
chapeau.

Mais Marguerite, craignant peut-être que sa coiffure en
désordre ne laisse paraître ses éléments d'emprunt, déclare
qu'elle ne le retirera que plus tard; un chapeau cabriolet à
brides ne l'empêchera pas d'appuyer sa nuque au dossier.

— Alors vous m'invitez à sortir la paille de votre œil
avant d'ôter la solive qui est dans le mien, dit Anthime
avec une sorte de ricanement. Voilà qui me paraît bien
contraire aux préceptes évangéliques!

— Ah! je vous en prie, ne me faites pas trop chèrement
payer vos soins.

— Je ne dis plus rien... Avec le coin d'un mouchoir
propre... je vois ce que c'est... n'ayez pas peur, cré-nom!
regardez au ciel!... la voici.

Et Anthime enlève à la pointe du mouchoir une escar-
bille imperceptible.

— Merci! merci. Laissez-moi, maintenant; j'ai une
affreuse migraine.

Tandis que Marguerite repose, que Julius déballe avec
la bonne et que Véronique surveille les préparatifs du
repas, Anthime s'occupe de Julie qu'il a emmenée dans sa
chambre. Il avait quitté sa nièce toute petite et reconnaît
mal cette grande fillette au sourire déjà gravement ingénu.
Au bout d'un peu de temps, comme il la tient près de lui,
causant des menues puérilités qu'il espérait pouvoir lui

plaire, son regard s'accroche à une mince chaînette d'argent que l'enfant porte au cou et à laquelle il flaire que doivent être suspendues des médailles. D'un glissement indiscret de son gros index il ramène celles-ci sur le devant du corsage et, cachant sa maladive répugnance sous un masque d'étonnement :

— Qu'est-ce que c'est que ces machinettes-là?

Julie comprend fort bien que la question n'est pas sérieuse; mais pourquoi s'offusquerait-elle?

— Comment, mon oncle! vous n'avez jamais vu des médailles?

— Ma foi non, ma petite, ment-il; ça n'est pas joli-joli, mais je pense que cela sert à quelque chose.

Et comme la sereine piété ne répugne pas à quelque espièglerie innocente, l'enfant avise, contre la glace au-dessus de la cheminée, une photographie qui la représente et, la désignant du doigt :

— Vous avez là, mon oncle, le portrait d'une petite fille qui n'est pas non plus joli-joli. A quoi donc peut-il vous servir?

Surpris de trouver chez une cagotine un si malicieux esprit de repartie, et sans doute tant de bon sens, l'oncle Anthime est momentanément désarçonné. Avec une fillette de neuf ans, il ne peut pourtant pas engager une discussion métaphysique! Il sourit. La petite aussitôt se saisissant de l'avantage et montrant les piécettes saintes :

— Voici, dit-elle, celle de sainte Julie, ma patronne, et celle du Sacré-Cœur de Notre...

— Du bon Dieu, tu n'en as pas une? interrompt absurdement Anthime.

L'enfant répond très naturellement :

— Non; du bon Dieu, on n'en fait pas... Mais voici la plus jolie : c'est celle de Notre-Dame de Lourdes, que m'a

donnée la tante Fleurissoire; elle l'a rapportée de Lourdes;
je l'ai mise à mon cou le jour où petit père et maman m'ont
offerte à la Sainte Vierge.

C'en est trop pour Anthime. Sans chercher à comprendre
un instant ce qu'évoquent d'ineffablement gracieux ces
images, le mois de mai, le blanc et le bleu cortège des
enfants, il cède à un maniaque besoin de blasphème :

— Elle n'a donc pas voulu de toi, la bonne Sainte Vierge,
que tu es encore avec nous?

La petite ne répond rien. Se rend-elle compte déjà qu'à
de certaines impertinences le plus sage est de ne rien
répondre? Au reste, qu'est-ce à dire? après cette question
saugrenue, ce n'est pas Julie, c'est le franc-maçon qui
rougit, — trouble léger, compagnon inavoué de l'indé-
cence, confusion passagère que l'oncle cachera en déposant
sur le front candide de sa nièce un respectueux baiser
réparateur.

— Pourquoi faites-vous le méchant, l'oncle Anthime?

La petite ne se méprend pas : au fond, ce savant impie
est sensible.

Alors pourquoi cette résistance obstinée?

A ce moment Adèle ouvre la porte :

— Madame réclame mademoiselle.

Apparemment Marguerite de Baraglioul redoute l'influence de son beau-frère et se soucie peu de laisser longtemps sa fille avec lui. C'est ce qu'il osera lui dire, à demi-
voix, un peu plus tard, tandis que la famille se rend à table.
Mais Marguerite lèvera sur Anthime un œil encore légèrement enflammé :

— Peur de vous? Mais, cher ami, Julie aurait converti
douze de vos pareils avant que vos moqueries aient pu
remporter le plus petit succès sur son âme. Non, non, nous
sommes plus solides que cela, nous autres. Tout de même

songez que c'est une enfant... Elle sait tout ce qu'on peut
attendre de blasphème d'une époque aussi corrompue et
dans un pays aussi honteusement gouverné que le nôtre.
Mais il est triste que les premiers motifs de scandale lui
soient offerts par vous, son oncle, que nous voudrions lui
apprendre à respecter.

IV

Ces paroles si mesurées, si sages, sauront-elles calmer
Anthime?

Oui, pendant les deux premiers services (au reste le dîner,
bon mais simple, n'a que trois plats) et tandis que la conversation familiale musardera le long de sujets non épineux.
Par égard pour l'œil de Marguerite, on parlera d'abord
oculistique (les Baraglioul feignent de ne point voir que la
loupe d'Anthime a grossi), puis de la cuisine italienne, par
gentillesse pour Véronique, avec allusions à l'excellence
de son dîner. Puis Anthime demandera des nouvelles des
Fleurissoire que les Baraglioul ont été voir dernièrement
à Pau, et de la comtesse de Saint-Prix, la sœur de Julius, qui
villégiature dans les environs; de Geneviève enfin, l'exquise
fille aînée des Baraglioul, que ceux-ci auraient souhaité
emmener avec eux à Rome, mais qui jamais n'avait consenti
à s'éloigner de l'hôpital des *Enfants-Malades*, où chaque
matin, rue de Sèvres, elle va panser les plaies des petits
malheureux. Puis Julius jettera sur le tapis la grave question
de l'expropriation des biens d'Anthime : il s'agit de terrains
qu'Anthime avait achetés en Égypte lors d'un premier
voyage qu'il fit, jeune homme, dans ce pays; mal situés, ces
terrains n'avaient pas acquis jusqu'à présent grande valeur;

mais il était question, depuis peu, que la nouvelle ligne
de chemin de fer du Caire à Héliopolis les traversât : certes
la bourse des Armand-Dubois, qu'ont surmenée de hasar-
deuses spéculations, a grand besoin de cette aubaine;
pourtant Julius, avant son départ, a pu parler à Maniton,
l'ingénieur-expert commis à l'étude de la ligne, et conseille
à son beau-frère de ne point trop dorer son espérance :
il pourrait bien rester Gros-Jean. Mais ce qu'Anthime ne
dit pas, c'est que l'affaire est entre les mains de la Loge, qui
n'abandonne jamais les siens.

Anthime à présent parle à Julius de sa candidature à
l'Académie, de ses chances : il en parle en souriant, parce
qu'il n'y croit guère; et Julius, lui-même, feint une indifférence tranquille et comme renoncée : à quoi bon raconter
que sa sœur, la comtesse Guy de Saint-Prix, tient le cardinal
André dans sa manche et, partant, les quinze immortels
qui toujours votent avec lui? Anthime esquisse un compli-
ment très léger, sur le dernier roman de Baraglioul : *L'Air
des Cimes*. Le fait est qu'il a trouvé le livre exécrable; et
Julius, qui ne s'y méprend pas, se hâte de dire, pour mettre
son amour-propre à couvert :

— Je pensais bien qu'un tel livre ne pourrait pas vous
plaire.

Anthime consentirait encore à excuser le livre, mais cette
allusion à ses opinions le chatouille; il proteste que celles-ci
n'inclinent en rien les jugements qu'il porte sur les œuvres
d'art en général, et sur les livres de son beau-frère en
particulier. Julius sourit avec une accommodante condes-
cendance et, pour changer de sujet, demande à son beau-
frère des nouvelles de sa sciatique, qu'il appelle par erreur :
son lumbago. Ah! pourquoi Julius ne s'est-il pas plutôt
enquis de ses recherches scientifiques? On aurait eu beau
jeu de lui répondre. Son lumbago! Pourquoi pas sa loupe,

bientôt? Mais ses recherches scientifiques, apparemment son beau-frère les ignore : il préfère les ignorer... Anthime, tout échauffé déjà et que précisément le " lumbago " fait souffrir, ricane et répond hargneux :

— Si je vais mieux?... Ah! ah! ah! vous en seriez bien fâché!

Julius s'étonne et prie son beau-frère de lui apprendre ce qui lui vaut le prêt d'aussi peu charitables sentiments.

— Parbleu! vous aussi vous savez appeler le médecin sitôt qu'un des vôtres est malade; mais, quand votre malade guérit, la médecine n'y est plus pour rien : c'est à cause des prières que vous avez faites pendant que le médecin vous soignait. Celui-là qui n'a point fait ses Pâques, parbleu! vous trouveriez bien impertinent qu'il guérît!

— Plutôt que de prier, vous préférez rester malade? dit d'un ton pénétré Marguerite.

De quoi vient-elle se mêler? D'ordinaire elle ne prend jamais part aux conversations d'intérêt général et fait la supprimée dès que Julius ouvre la bouche. C'est entre hommes qu'ils causent; foin des ménagements! Il se tourne abruptement vers elle :

— Ma charmante, sachez que si la guérison était là, là, vous m'entendez bien, — et il désigne éperdument la salière, — tout près, mais que je dusse, pour avoir le droit de m'en saisir, implorer Monsieur le Principal (c'est ainsi qu'il s'amuse, dans ses jours d'humeur, à appeler l'Être Suprême) ou le prier d'intervenir, de renverser pour moi l'ordre établi, l'ordre naturel des effets et des causes, l'ordre vénérable, eh bien! je n'en voudrais pas, de sa guérison; je lui dirais, au Principal : Fichez-moi la paix avec votre miracle : je n'en veux pas.

Il scande les mots, les syllabes; il a haussé la voix au diapason de sa colère; il est affreux.

— Vous n'en voudriez pas... pourquoi? demanda Julius très calme.

— Parce que cela me forcerait de croire à Celui qui n'existe pas.

Ce disant, il donne du poing sur la table.

Marguerite et Véronique, inquiètes, ont échangé un clin d'œil, puis toutes deux reporté le regard vers Julie.

— Je crois qu'il est temps d'aller se coucher, ma fillette, dit la mère. Fais vite; nous viendrons te dire adieu dans ton lit.

L'enfant, que les atroces propos et l'aspect démoniaque de son oncle épouvantent, s'enfuit.

— Je veux, si je guéris, n'en être obligé qu'à moi-même. Suffit.

— Eh bien! et le médecin alors? hasarda Marguerite.

— Je paie ses soins, et je suis quitte.

Mais Julius, sur son registre le plus grave :

— Tandis que de la reconnaissance envers Dieu vous lierait...

— Oui, mon frère; et voilà pourquoi je ne prie pas.

— D'autres ont prié pour toi, mon ami.

C'est Véronique qui parle; elle n'avait jusqu'à présent rien dit. Au son de cette douce voix trop connue, Anthime sursaute, perd toute retenue. Des propositions contra-dictoires se bousculent sur ses lèvres : D'abord on n'a pas le droit de prier pour quelqu'un contre son gré, de demander une faveur pour lui sans qu'il en sache; c'est une trahison. Elle n'a rien obtenu; tant mieux! ça lui apprendra ce qu'elles valent, ses prières! Il y a de quoi être fier!... Mais peut-être, après tout, qu'elle n'a pas prié suffisamment?

— Soyez tranquille : je continue, reprend, aussi douce-ment que devant, Véronique. Puis toute souriante, et comme hors du vent de cette colère, elle raconte à Margue-

rite que, chaque soir, et sans en manquer un, elle brûle, au
nom d'Anthime, deux cierges, aux côtés de la Madone
triviale, à l'angle nord de la maison, celle-là même devant
qui Véronique avait jadis surpris Beppo se signant. L'enfant
gîtait, nichait, tout auprès dans un renfoncement du mur,
où Véronique était sûre de le trouver à heure dite. Elle n'eût
pu atteindre à la niche, placée hors de la portée des passants;
Beppo (c'était à présent un svelte adolescent de quinze
ans), s'agrippant aux pierres et à un anneau de métal),
posait les cierges tout flambants devant la sainte image...
Et la conversation, insensiblement se détournait d'Anthime,
se refermait par-dessus lui, les deux sœurs à présent parlant
de la piété populaire si touchante, par quoi la plus fruste
statue est aussi la plus honorée... Anthime était tout sub-
mergé. Quoi! ne suffisait-il pas que, ce matin déjà, derrière
son dos, Véronique eût nourri ses rats? A présent, elle
brûle des cierges! pour lui! sa femme! et compromet Beppo
dans cette inepte simagrée... Ah! nous allons bien voir!...

Le sang monte au cerveau d'Anthime; il étouffe; à ses
tempes bat un tocsin. Dans un immense effort il se dresse
en culbutant une chaise; il renverse sur sa serviette un
verre d'eau; il éponge son front... Va-t-il se trouver mal?
Véronique s'empresse : il la repousse d'une main brutale,
s'échappe vers la porte qu'il claque; et déjà dans le corridor
on entend sa marche inégale s'éloigner avec l'accompa-
gnement de la béquille sourd et clopant.

Ce départ brusque laisse nos convives attristés et per-
plexes. Quelques instants ils demeurent silencieux.

— Ma pauvre amie! dit enfin Marguerite. Mais à cette
occasion s'affirme une fois de plus la différence entre le
caractère des deux sœurs. L'âme de Marguerite est taillée
dans cette étoffe admirable dont Dieu fait proprement
ses martyrs. Elle le sait et aspire à souffrir. La vie malheu-

reusement ne lui accorde aucun dommage; comblée de
toutes parts, sa faculté de bon support en est réduite à
chercher dans de menues vexations son emploi; elle met
à profit les moindres choses pour en tirer égratignure; elle
s'accroche et se raccroche à tout. Certes elle sait s'arranger
de manière à ce qu'on lui manque; mais Julius semble
travailler à désœuvrer toujours plus sa vertu; comment
s'étonner, dès lors, qu'elle se montre auprès de lui toujours
insatisfaite et quinteuse? Avec un mari comme Anthime,
quelle belle carrière! Elle se pique à voir sa sœur savoir en
profiter si peu; Véronique, en effet, se dérobe aux griefs;
sur son indéfectible onction souriante tout glisse, sarcasme,
moquerie — et sans doute elle a pris son parti depuis
longtemps de l'isolement de sa vie; Anthime au demeurant
n'est pas méchant pour elle, et peut bien dire ce qu'il veut!
Elle explique que s'il parle fort, c'est qu'il est empêché de
remuer; il s'emporterait moins s'il était plus ingambe; et
comme Julius demande où il peut être allé?

— A son laboratoire, répond-elle; et à Marguerite qui
demande si l'on ne ferait pas bien d'y passer voir — car il
pourrait être souffrant, après une telle colère! — elle assure
qu'il vaut mieux le laisser se calmer tout seul et ne pas
prêter trop d'attention à sa sortie.

— Achevons de dîner tranquillement, conclut-elle.

V

Non, ce n'est pas à son laboratoire que s'est arrêté
l'oncle Anthime.

Il a traversé rapidement cette officine où achèvent de
souffrir les six rats. Que ne s'attarde-t-il sur la terrasse

qu'inonde une occidentale lueur? Le séraphique éclaire-
ment du soir, apaisant son âme rebelle, l'inclinerait peut-
être... Mais non : il échappe au conseil. Par l'incommode
escalier tournant, il a gagné la cour, qu'il traverse. Cette
hâte infirme est tragique par nous qui connaissons au prix
de quel effort il achète chaque enjambée, au prix de quelle
douleur chaque effort. Quand verrons-nous dépenser
pour le bien une aussi sauvage énergie? Parfois un gémissement échappe à ses lèvres tordues; ses traits se convulsent.
Où le mène sa rage impie?

La Madone — qui, de ses mains offertes laissant couler
la grâce et le reflet des célestes rayons sur le monde, veille
sur la maison et peut-être intercède même pour le blasphémateur — n'est pas une de ces statues modernes comme en
fabrique de nos jours, avec le carton-romain plastique de
Blafaphas, la maison d'art Fleurissoire-Lévichon. Image
naïve, expression de l'adoration populaire, elle n'en sera que
plus belle et plus éloquente à nos yeux. Éclairant la face
exsangue, les rayonnantes mains, le manteau bleu, une
lanterne, en face de la statue, mais assez loin en avant d'elle,
pend à un toit de zinc qui déborde la niche et abrite à la fois
les ex-voto accrochés aux côtés des murs. A portée de la
main du passant, une petite porte de métal, dont le bedeau
de la paroisse a la clef, protège l'enroulement de la corde
au bout de quoi, la lanterne pend. En plus, deux cierges
brûlent jour et nuit devant la statue, qu'a portés tantôt
Véronique. A la vue de ces cierges, qu'il sait brûler pour
lui, le franc-maçon sent se ranimer sa fureur. Beppo qui,
dans le retrait du mur où il niche, achevait de croquer un
croûton et quelques griffes de fenouil, est accouru à sa
rencontre. Sans répondre à son accorte salutation, Anthime
l'a saisi par l'épaule; penché sur lui, que dit-il, qui fasse
tressaillir l'enfant? — Non! non! le petit proteste. De la

poche de son gilet, Anthime sort un billet de cinq lires;
Beppo s'indigne... Plus tard il volera peut-être; il tuera
même; qui sait de quelle éclaboussure sordide la misère
tachera son front? Mais lever la main contre la Vierge qui
le protège, vers qui, chaque soir, avant de s'endormir il
soupire, à qui chaque matin, au premier réveil, il sourit!...
Anthime peut essayer de l'exhortation, de la corruption,
du rudoiement, de la menace, il n'obtiendra de lui que refus.

Au demeurant ne nous y méprenons pas. Anthime
n'en veut point précisément à la Vierge; c'est spécialement
aux cierges de Véronique qu'il en a. Mais l'âme simple de
Beppo ne consent pas à ces nuances; et, du reste, ces
cierges à présent consacrés, nul n'a le droit de les souffler...

Anthime que cette résistance exaspère a repoussé l'enfant.
Il agira tout seul. Accoté contre la muraille, il empoigne
sa béquille par le bas, prend un terrible élan en balançant
le manche en arrière et, de toutes ses forces, il la lance
contre le ciel. Le bois carambole contre la paroi de la
niche, retombe à terre avec fracas, entraînant il ne sait
quel débris, quel platras. Il ramasse sa béquille et recule
pour voir la niche... Par l'enfer! les deux cierges brûlent
toujours. Mais qu'est-ce à dire? La statue, à la place de la
main droite, ne présente plus qu'une tige de métal noir.

Il contemple un instant, dégrisé, le triste résultat de son
geste : aboutir à ce dérisoire attentat... Ah! fi donc! Il
cherche des yeux Beppo; l'enfant a disparu. La nuit se clôt;
Anthime est seul; il avise sur le pavé le débris que tout à
l'heure avait décroché sa béquille, le recueille : c'est une
petite main de stuc, qu'avec un haussement d'épaules il glisse
dans la poche de son gilet.

La honte au front, la rage au cœur, l'iconoclaste à présent
remonte à son laboratoire; il voudrait travailler, mais cet
effort abominable l'a brisé; il n'a plus de cœur qu'à dormir.

Certes, il va se mettre au lit sans souhaiter bonsoir à personne... A l'instant d'entrer dans sa chambre, un bruit de voix pourtant l'arrête. La porte de la chambre voisine est ouverte; dans l'ombre du couloir il se glisse...

Semblable à quelque angelet familier, la petite Julie, en chemise, est sur son lit, agenouillée; au chevet du lit, baignant dans la clarté de la lampe, Véronique et Marguerite à genoux toutes deux; un peu reculé, debout au pied du lit, Julius, une main sur son cœur, l'autre couvrant ses yeux, dans une attitude à la fois dévote et virile : ils écoutent l'enfant prier. Un grand silence enveloppe la scène et tel qu'il fait souvenir le savant de certain soir tranquille et d'or, au bord du Nil, où, comme cette prière enfantine s'élève, s'élevait une fumée bleue, toute droite vers un ciel tout pur.

Sans doute, la prière touche à sa fin; l'enfant, à présent, laissant les formules apprises, prie d'abondance, selon la dictée de son cœur; elle prie pour les petits orphelins, pour les malades et pour les pauvres, pour sa sœur Geneviève, pour sa tante Véronique, pour son papa; pour que l'œil de sa chère maman soit vite guéri... Cependant le cœur d'Anthime se contracte; du pas de la porte, très haut, sur un ton qu'il voudrait ironique, on l'entend à l'autre bout de la pièce qui dit :

— Et pour l'oncle, on ne lui demande rien, au bon Dieu?

L'enfant alors, d'une voix extraordinairement assurée, reprend, au grand étonnement de chacun :

— Et je Vous prie également, mon Dieu, pour les péchés de l'oncle Anthime.

Ces mots atteignent l'athée en plein cœur.

VI

Cette nuit Anthime eut un songe. On frappait à la petite porte de sa chambre; non point à la porte du couloir, ni à celle de la chambre voisine : on frappait à une autre porte, une porte dont, à l'état de veille, il ne s'était pas jusqu'alors avisé et qui donnait droit sur la rue. C'est là ce qui fit qu'il eut peur et d'abord, pour toute réponse, se tint coi. Une demi-clarté lui permettait de distinguer les menus objets dans sa chambre, une douce et douteuse clarté pareille à celle qu'eût répandue une veilleuse; pourtant aucune flamme ne veillait. Comme il cherchait à s'expliquer d'où provenait cette lumière, on heurta une seconde fois.

— Qu'est-ce que vous voulez? cria-t-il d'une voix tremblante.

A la troisième fois une extraordinaire mollesse l'engour-dit, une mollesse telle que tout sentiment de peur s'y fondit (ce qu'il appelait plus tard : une tendresse résignée); soudain il sentit à la fois qu'il était sans résistance et que la porte allait céder. Elle s'ouvrit sans bruit, et durant un instant il ne vit qu'une obscure embrasure, mais où, comme dans une niche, voici que la Sainte Vierge apparut. C'était une courte forme blanche, qu'il prit d'abord pour sa petite nièce Julie, telle qu'il venait de la laisser, les pieds nus dépassant un peu sa chemise; mais, un instant après, il reconnut Celle qu'il avait offensée; je veux dire qu'elle avait l'aspect de la statue du carrefour; et même il distingua la blessure de l'avant-bras droit; pourtant le mâle visage était plus beau, plus souriant encore que de coutume. Sans qu'il la vît précisément marcher, elle avança vers lui comme en glissant, et quand elle fut tout contre son chevet :

— Crois-tu donc, toi qui m'as blessée, lui dit-elle, que j'aie besoin de ma main pour te guérir? — et cependant elle levait sur lui sa manche vide.

Il lui semblait à présent que cette étrange clarté émanait d'Elle. Mais, quand la tige de métal entra tout à coup dans son flanc, une atroce douleur le perça et il s'éveilla dans le noir.

Anthime resta peut-être un quart d'heure avant de reprendre ses sens. Il sentait par tout le corps une sorte de torpeur étrange, d'hébétude, puis un fourmillement presque agréable, de sorte que la douleur aiguë à son flanc, il doutait maintenant s'il l'avait vraiment éprouvée; il ne comprenait plus où commençait, où s'arrêtait son rêve, ni si maintenant il veillait, ni s'il avait rêvé tout à l'heure. Il se palpa, se pinça, se vérifia, sortit un bras du lit, et enfin gratta une allumette. Véronique, à ses côtés, dormait la face tournée vers le mur.

Alors, débordant les draps, et rejetant les couvertures, il se laissa glisser jusqu'à reposer la pointe des pieds nus sur ses pantoufles. La béquille était là, dressée contre la table de nuit; sans la prendre, il se souleva sur les mains, repoussant le lit en arrière; puis enfonça ses pieds dans le cuir; puis se dressa tout droit sur ses jambes; puis, incertain encore, un bras étendu en avant, l'autre en arrière, il fit un pas, deux pas le long du lit, trois pas, puis à travers la chambre... Sainte Vierge! était-il...? — Sans bruit il enfila ses culottes, repassa son gilet, sa veste... Arrête, ô ma plume imprudente! Où palpite déjà l'aile d'une âme qui se délivre, qu'importe l'agitation malhabile d'un corps paralysé qui guérit?

Lorsqu'un quart d'heure après, Véronique, avertie par je ne sais quel pressentiment, s'éveilla, elle s'inquiéta d'abord

de ne plus sentir Anthime auprès d'elle; elle s'inquiéta plus
encore lorsque, ayant gratté une allumette, elle aperçut au
chevet du lit la béquille, compagne obligée de l'infirme.
L'allumette acheva de se consumer entre ses doigts, car
Anthime en sortant avait emporté la bougie; Véronique, à
tâtons, se vêtit sommairement, puis, quittant la pièce à son
tour, fut aussitôt guidée par le fil de lumière qui glissait
sous la porte du galetas.

— Anthime! Es-tu là, mon ami?

Pas de réponse. Cependant Véronique aux écoutes
percevait un bruit singulier. Avec angoisse, alors, elle
poussa la porte; ce qu'elle vit la cloua sur le seuil :

Son Anthime était là, en face d'elle; il n'était assis, ni
debout; le sommet de sa tête, à hauteur de la table, recevait
en plein la lumière de la bougie qu'il avait posée sur le bord;
Anthime le savant, l'athée, celui dont le jarret perclus, non
plus que la volonté insoumise, depuis des ans n'avait jamais
fléchi (car il est à remarquer combien chez lui l'esprit allait
de pair avec le corps), Anthime était agenouillé.

Il était à genoux, Anthime; il tenait à deux mains un
petit débris de stuc qu'il trempait de larmes, qu'il couvrait
de frénétiques baisers. Il ne se dérangea pas d'abord, et
Véronique, devant ce mystère, interdite, n'osant ni reculer
ni entrer, déjà pensait à s'agenouiller elle-même, sur le
seuil, en face de son mari, quand celui-ci se relevant sans
effort, ô miracle! marcha vers elle d'un pas sûr, et la saisissant à pleins bras :

— Désormais, lui dit-il en la pressant contre son cœur
et le visage penché vers elle, — désormais, mon amie, c'est
avec moi que tu prieras.

VII

La conversion du franc-maçon ne pouvait demeurer longtemps secrète. Julius de Baraglioul n'attendit pas un jour pour en faire part au cardinal André, qui l'ébruita dans le parti conservateur et dans le haut clergé français; tandis que Véronique l'annonçait au père Anselme, de sorte que la nouvelle en parvenait bientôt aux oreilles du Vatican.

Sans doute Armand-Dubois avait été l'objet d'une faveur insigne. Que la Vierge lui fût réellement apparue, c'est ce qu'il était peut-être imprudent d'affirmer; mais quand bien même il l'aurait vue seulement en rêve, sa guérison du moins était là, indéniable, démontrable, miraculeuse assurément.

Or, s'il suffisait peut-être à Anthime d'être guéri, cela ne suffisait pas à l'Église, qui réclama une abjuration manifeste, prétendant l'entourer d'un insolite éclat.

— Eh quoi! lui disait à quelques jours de là le père Anselme, vous auriez, au cours de vos erreurs, propagé par tous les moyens l'hérésie, et vous vous déroberiez aujourd'hui à l'enseignement supérieur que le ciel entend tirer de vous-même? Combien d'âmes les fausses lueurs de votre vaine science n'ont-elles pas détournées de la lumière! Il vous appartient de les rallier aujourd'hui, et vous hésiteriez à le faire? Que dis-je : il vous appartient? C'est votre strict devoir; et je ne vous ferai point cette injure de supposer que vous ne le sentiez pas.

Non, Anthime ne se dérobait pas à ce devoir; toutefois il ne laissait pas d'en redouter les conséquences. De gros intérêts qu'il avait en Égypte étaient, nous l'avons dit,

entre les mains des francs-maçons. Que pouvait-il sans
l'assistance de la Loge? Et comment espérer qu'elle conti-
nuerait à soutenir celui qui précisément la reniait. Comme
il avait attendu d'elle sa fortune, il se voyait à présent tout
ruiné.

Il s'en ouvrit au père Anselme. Celui-ci, qui ne connaissait pas le haut grade d'Anthime, s'en réjouit fort, en pensant que l'abjuration en serait d'autant remarquée. Deux
jours après, le haut grade d'Anthime n'était plus un secret
pour aucun des lecteurs de l'*Osservatore* ni de la *Santa Croce*.

— Vous me perdez, disait Anthime.

— Eh! mon fils, au contraire, répondait le père Anselme;
nous vous apportons le salut. Quant à ce qui est des besoins
matériels, n'en ayez cure : l'Église y subviendra. J'ai longuement entretenu de votre cas le cardinal Pazzi qui doit
en référer à Rampolla; vous dirai-je enfin que, déjà, votre
abjuration n'est pas ignorée de notre Saint-Père; l'Église
saura reconnaître ce que vous sacrifiez pour elle et n'entend
pas que vous soyez frustré. Au demeurant, ne pensez-vous
pas que vous vous exagérez l'efficace (il souriait) des francs-
maçons dans l'occurrence? Ce n'est pas que je ne sache
qu'il faut trop souvent compter avec eux!... Enfin avez-
vous fait l'estimation de ce que vous craignez que leur
hostilité ne vous fasse perdre? Dites-nous la somme, à peu
près et... (il leva l'index de la main gauche à hauteur du nez,
avec une bénignité malicieuse) et ne craignez rien.

Dix jours après les fêtes du Jubilé, l'abjuration d'Anthime
se fit au Gesu, entouré d'une pompe excessive. Je n'ai pas
à relater cette cérémonie dont s'occupèrent tous les journaux italiens de l'époque. Le père T., socius du général des
Jésuites, prononça à cette occasion un de ses plus remarquables discours : Certainement l'âme du franc-maçon
était tourmentée jusqu'à la folie, et l'excès même de sa

haine était un présage d'amour. L'orateur sacré rappelait Saul de Tarse, découvrait entre le geste iconoclaste d'Anthime et la lapidation de saint Étienne de surprenantes analogies. Et pendant que l'éloquence du révérend père se gonflait et roulait à travers la nef comme roule dans une grotte sonore la houle épaisse des marées, Anthime songeait à la frêle voix de sa nièce, et dans le secret de son cœur remerciait l'enfant d'avoir appelé sur les péchés de l'oncle impie l'attention miséricordieuse de Celle qu'il voulait uniquement servir désormais.

A partir de ce jour, rempli de préoccupations plus hautes, c'est à peine si Anthime s'aperçut du bruit qui se faisait autour de son nom. Julius de Baraglioul prenait soin d'en souffrir pour lui, et n'ouvrait pas lès journaux sans battements de cœur. Au premier enthousiasme des feuilles orthodoxes répondaient à présent les huées des organes libéraux : à l'important article de l'*Osservatore*, "Une nouvelle victoire de l'Église", faisait pendant la diatribe du *Tempo Felice*, "Un imbécile de plus". Enfin, dans *La Dépêche de Toulouse*, la chronique d'Anthime, envoyée l'avant-veille de sa guérison, parut précédée d'une notice gouailleuse; Julius répondit au nom de son beau-frère une lettre à la fois digne et sèche pour avertir *La Dépêche* qu'elle n'aurait plus désormais à compter "le converti" parmi ses collaborateurs. La *Zukunft* prit les devants et remercia poliment Anthime. Celui-ci acceptait les coups de ce visage serein qu'apprête l'âme vraiment dévote.

— Heureusement le *Correspondant* va vous être ouvert; ça, j'en réponds, disait Julius d'une voix sifflante.

— Mais, cher ami, que voulez-vous que j'y écrive? objectait bénévolement Anthime; rien de ce qui m'occupait hier ne m'intéresse plus aujourd'hui.

Puis le silence s'était fait. Julius avait dû rentrer à Paris. Anthime cependant, pressé par le père Anselme, avait docilement quitté Rome. Sa ruine matérielle avait vite suivi le retrait de l'appui des Loges; et les visites auxquelles Véronique, confiante dans l'appui de l'Église, le poussait, n'ayant pas eu d'autre résultat que de lasser et finalement d'indisposer le haut clergé, amicalement il avait été conseillé d'aller attendre à Milan la compensation naguère promise et les reliefs d'une faveur céleste éventée.

LIVRE DEUXIÈME

JULIUS DE BARAGLIOUL

" Puisqu'il ne faut jamais ôter le retour
à personne. "

— VIII, p. 93.

I

Le 30 mars, à minuit, les Baraglioul rentrèrent à Paris et réintégrèrent leur appartement de la rue de Verneuil.

Tandis que Marguerite s'apprêtait pour la nuit, Julius, une petite lampe à la main et des pantoufles aux pieds, pénétra dans son cabinet de travail, qu'il ne retrouvait jamais sans plaisir. La décoration de la pièce était sobre; quelques Lépine et un Boudin pendaient aux murs; dans un coin, sur un socle tournant, un marbre, le buste dé sa femme par Chapu, faisait une tache un peu crue; au milieu de la pièce, une table Renaissance énorme où, depuis son départ, s'amoncelaient livres, brochures et prospectus; sur un plateau d'émail cloisonné quelques cartes de visite cornées, et à l'écart du reste, appuyée bien en évidence contre un bronze de Barye, une lettre où Julius reconnut l'écriture de son vieux père. Il déchira tout aussitôt l'enveloppe et lut :

Mon cher fils,

Mes forces ont beaucoup diminué ces derniers jours. A de certains avertissements qui ne trompent pas je comprends qu'il est temps de plier bagage ; aussi bien n'ai-je plus grand profit à attendre d'une station plus prolongée.

Je sais que vous rentrez à Paris cette nuit et je compte que vous voudrez bien me rendre sans tarder un service : En vue de quelques dispositions dont je vous aviserai tôt ensuite, j'ai besoin de savoir si un jeune homme, du nom de Lafcadio Wluiki (on prononce Louki, le W et l'i se font à peine sentir), habite encore au douze de l'impasse Claude-Bernard.

Je vous serais obligé de bien vouloir vous rendre à cette adresse et de demander à voir le susdit. (Vous trouverez facilement, romancier que vous êtes, un prétexte pour vous introduire.) Il m'importe de connaître :

1° ce que fait le jeune homme ;

2° ce qu'il compte faire (a-t-il de l'ambition ? de quel ordre ?) ;

3° Enfin vous m'indiquerez quels vous paraissent être ses ressources, ses facultés, ses appétits, ses goûts...

Ne cherchez pas à me voir pour l'instant : je suis d'humeur chagrine. Ces renseignements aussi bien pouvez-vous me les écrire en quelques mots. S'il me prend désir de causer, ou si je me sens près du grand départ, je vous ferai signe.

Je vous embrasse.

Juste-Agénor de BARAGLIOUL.

P.-S. — Ne laissez point paraître que vous venez de ma part ; le jeune homme m'ignore et doit continuer de m'ignorer.

Lafcadio Wluiki a présentement dix-neuf ans. Sujet roumain. Orphelin.

J'ai parcouru votre dernier livre. Si, après cela, vous n'entrez pas à l'Académie, vous êtes impardonnable d'avoir écrit ces sornettes.

On ne pouvait le nier : le dernier livre de Julius' avait mauvaise presse. Bien qu'il fût fatigué, le romancier par-

courut les découpures des journaux où l'on citait son nom
sans bienveillance. Puis il ouvrit une fenêtre et respira
l'air brumeux de la nuit. Les fenêtres du cabinet de Julius
donnaient sur des jardins d'ambassade, bassins d'ombre
lustrale où les yeux et l'esprit se lavaient des vilenies du
monde et de la rue. Il écouta quelques instants le chant pur
d'un merle invisible. Puis rentra dans la chambre où Marguerite reposait déjà.

Comme il redoutait l'insomnie il prit sur la commode un
flacon de fleur d'oranger dont il faisait fréquent usage.
Soucieux des prévenances conjugales, il avait pris cette
précaution de poser en contrebas de la dormeuse la lampe
à la mèche baissée; mais un léger tintement du cristal,
lorsque, ayant bu, il reposa le verre, atteignit au profond
de son engourdissement Marguerite qui, poussant un
gémissement animal, se tourna du côté du mur. Julius,
heureux de la tenir pour éveillée, s'approcha d'elle et,
tout en se déshabillant :

— Veux-tu savoir comment mon père parle de mon
livre?

— Mon cher ami, ton pauvre père n'a aucun sentiment
littéraire, tu me l'as dit cent fois, murmura Marguerite qui
ne demandait qu'à dormir.

Mais Julius avait trop gros cœur :

— Il dit que je suis inqualifiable d'avoir écrit ces sornettes.

Il y eut un assez long silence où Marguerite plongea,
perdant de vue toute littérature; et déjà Julius prenait son
parti d'être seul; mais elle fit, par amour pour lui, un grand
effort, et revenant à la surface :

— J'espère que tu ne vas pas te faire du mauvais sang.

— Je prends la chose très froidement, tu le vois bien,
reprit aussitôt Julius. Mais ce n'est tout de même pas à mon

père, je trouve, qu'il convient de s'exprimer ainsi; à mon
père moins qu'à tout autre; et, précisément à propos de ce
livre qui n'est, à proprement parler, qu'un monument en
son honneur.

N'était-ce pas, précisément, en effet, la carrière si repré-
sentative du vieux diplomate que Julius avait retracée dans
ce livre? En regard des turbulences romantiques, n'y avait-
il pas magnifié la digne, calme, classique, à la fois politique
et familiale existence de Juste-Agénor?

— Tu n'as heureusement pas écrit ce livre pour qu'il
t'en sache gré.

— Il me fait entendre que j'ai écrit l'*Air des Cimes* pour
entrer à l'Académie.

— Et quand cela serait! Et quand tu entrerais à l'Académie pour avoir écrit un beau livre! puis sur un ton de
pitié : — Enfin! espérons que les journaux et les revues
sauront l'instruire.

Julius éclata :

— Les journaux! parlons-en!... les revues! et furieusement, vers Marguerite, comme s'il y allait de sa faute
à elle, avec un rire amer : — On m'éreinte de toutes
parts.

Du coup. Marguerite se réveilla complètement.

— Tu as reçu beaucoup de critiques? demanda-t-elle
avec sollicitude.

— Et des éloges, d'une émouvante hypocrisie.

— Comme tu faisais bien de les mépriser, ces journa-
listes! Mais souviens-toi de ce que t'a écrit avant-hier
M. de Vogüé : " Une plume comme la vôtre défend la
France comme une épée. "

" — Une plume comme la vôtre, contre la barbarie qui
nous menace, défend la France mieux qu'une épée ",
rectifia Julius.

— Et le cardinal André, en te promettant sa voix, t'a affirmé dernièrement encore que tu avais derrière toi toute l'Église.

— Voilà qui me fait une belle jambe!

— Mon ami...!

— Nous venons de voir avec Anthime ce que valait la haute protection du clergé.

— Julius, tu deviens amer. Tu m'as souvent dit que tu ne travaillais pas en vue de la récompense; ni de l'approbation des autres, et que la tienne te suffisait; tu as même écrit là-dessus de très belles pages.

— Je sais, je sais, fit Julius impatienté.

Son tourment profond n'avait que faire de ces tisanes. Il passa dans le cabinet de toilette.

Pourquoi se laissait-il aller devant sa femme à ce débordement pitoyable? Son souci, qui n'est point de la nature de ceux que les épouses savent dorloter et complaindre, par fierté, par vergogne, il devrait l'enfermer en son cœur, "Sornettes!" Le mot, tandis qu'il se lavait les dents, battait ses tempes, bousculait ses plus nobles pensées. Et qu'importait ce dernier livre. Il oubliait la phrase de son père : du moins il oubliait que cette phrase vînt de son père... Une interrogation affreuse, pour la première fois de sa vie, se soulevait en lui — en lui qui n'avait jamais rencontré jusqu'alors qu'approbation et sourires, — un doute sur la sincérité de ces sourires, sur la valeur de cette approbation, sur la valeur de ses ouvrages, sur la réalité de sa pensée, sur l'authenticité de sa vie.

Il rentra dans la chambre, tenant distraitement d'une main le verre à dents, de l'autre la brosse; il posa le verre, à demi plein d'une eau rose, sur la commode, la brosse dans le verre, et s'assit devant un petit bonheur-du-jour en érable où Marguerite avait accoutumé d'écrire sa correspondance. Il saisit le porte-plume de son épouse; sur un papier violâtre et délicatement parfumé commença :

> *Mon cher père,*
>
> *Je trouve votre mot ce soir en rentrant. Dès demain je m'acquitterai de cette mission que vous me confiez et que j'espère mener à votre satisfaction, désireux de vous prouver ainsi mon dévouement.*

Car Julius est une de ces nobles natures qui, sous le froissement, manifestent leur vraie grandeur. Puis, rejetant le haut du corps en arrière, il demeura quelques instants, balançant sa phrase, la plume levée :

Il m'est dur de voir suspecter précisément par vous un désintéressement qui...

Non. Plutôt :

Pensez-vous que j'attache moins de prix à cette probité littéraire que...

La phrase ne venait pas. Julius était en costume de nuit; il sentit qu'il allait prendre froid, froissa le papier, reprit le verre à dents et l'alla poser dans le cabinet de toilette, tandis qu'il jetait le papier froissé dans le seau.

Sur le point de monter au lit, il toucha l'épaule de sa femme.

— Et toi, qu'est-ce que tu en penses, de mon livre?

Marguerite entrouvrit un œil morne. Julius dut répéter sa question. Marguerite, se retournant à demi, le regarda. Les sourcils relevés sous un amas de rides, les lèvres contractées, Julius faisait pitié.

— Mais qu'est-ce que tu as, mon ami? Quoi! tu crois donc vraiment que ton dernier livre est moins bon que les autres?

Ce n'était pas une réponse, cela; Marguerite se dérobait.

— Je crois que les autres ne sont pas meilleurs que celui-ci, na!

— Oh! alors!...

Et Marguerite, devant ces excès, perdant cœur et sentant ses tendres arguments inutiles, se retourna vers l'ombre et rendormit.

II

Malgré certaine curiosité professionnelle et la flatteuse illusion que rien d'humain ne lui devait demeurer étranger, Julius était peu descendu jusqu'à présent hors des coutumes de sa classe et n'avait guère eu de rapports qu'avec des gens de son milieu. L'occasion, plutôt que le goût, lui manquait. Sur le point de sortir pour cette visite, Julius se rendit compte qu'il n'avait point non plus tout à fait le costume qu'il y fallait. Son pardessus, son plastron, son chapeau cronstadt même, présentaient je ne sais quoi de décent, de restreint et de distingué... Mais peut-être, après tout, valait-il mieux que sa mise n'invitât pas à trop brusque familiarité le jeune homme. C'est par les propos, pensait-il, qu'il sied de l'amener à confiance. Et, tout en se dirigeant vers l'impasse Claude-Bernard, Julius imaginait avec quelles précautions, sous quel prétexte, s'introduire et pousser son inquisition.

Que pouvait bien avoir affaire avec ce Lafcadio le comte Juste-Agénor de Baraglioul? La question bourdonnait autour de Julius, importune. Ce n'est pas maintenant qu'il venait d'achever d'écrire la vie de son père, qu'il allait se permettre des questions à son sujet. Il n'en voulait savoir que ce que son père voudrait lui dire. Ces dernières années le comte était devenu taciturne, mais il n'avait jamais été cachottier. Une averse surprit Julius tandis qu'il traversait le Luxembourg.

Impasse Claude-Bernard, devant la porte du douze, un fiacre stationnait où Julius, en passant, put distinguer, sous un trop grand chapeau, une dame à toilette un peu tapageuse.

Son cœur battit tandis qu'il jetait le nom de Lafcadio Wluiki au portier de la maison meublée; il semblait au romancier qu'il s'enfonçât dans l'aventure; mais, tandis qu'il montait l'escalier, la médiocrité du lieu, l'insignifiance du décor le rebutèrent; sa curiosité qui ne trouvait où s'alimenter fléchissait et cédait à la répugnance.

Au quatrième étage le couloir sans tapis, qui ne recevait de jour que par la cage de l'escalier, à quelques pas du palier faisait coude; de droite et de gauche, des portes closes y donnaient; celle du fond, entrouverte, laissait passer un mince rai de jour. Julius frappa; en vain; timidement poussa la porte un peu plus; personne dans la chambre. Julius redescendit.

— S'il n'est pas là, il ne tardera pas à rentrer, avait dit le portier.

La pluie tombait à flots. Dans le vestibule, en face de l'escalier, ouvrait un salon d'attente où Julius allait pénétrer; l'odeur poisseuse, l'aspect désespéré du lieu le reculèrent jusqu'à penser qu'il eût aussi bien pu pousser la porte, là-haut, et de pied ferme attendre le jeune homme dans la chambre. Julius remonta.

Comme il tournait à nouveau le corridor, une femme sortit de la chambre voisine de celle du fond. Julius donna contre elle et s'excusa.

— Vous désirez?...

— Monsieur Wluiki, c'est bien ici?

— Il est sorti.

— Ah! fit Julius, sur un ton de contrariété si vive que la femme lui demanda :

— C'est pressé, ce que vous aviez à lui dire?

Julius, uniquement armé pour affronter l'inconnu Lafcadio, restait décontenancé; pourtant l'occasion était belle; cette femme, peut-être, en savait long sur le jeune homme; s'il savait la faire parler...

— C'est un renseignement que je voulais lui demander.

— De la part de qui?

" Me croirait-elle de la police? " pensa Julius.

— Je suis le comte Julius de Baraglioul, dit-il d'une voix un peu solennelle, en soulevant légèrement son chapeau.

— Oh! Monsieur le comte... Je vous demande bien pardon de ne pas vous avoir... Dans ce couloir il fait si sombre! Donnez-vous la peine d'entrer. (Elle poussa la porte du fond). Lafcadio ne doit pas tarder à... Il a seulement été jusque chez le... Oh! permettez!...

Et, comme Julius allait entrer, elle s'élança d'abord dans la pièce, vers un pantalon de femme, indiscrètement étalé sur une chaise, que ne parvenant pas à dissimuler, elle s'efforça du moins de réduire.

— C'est dans un tel désordre, ici...

— Laissez! laissez! Je suis habitué, disait complaisamment Julius.

Carola Venitequa était une jeune femme assez forte, ou mieux : un peu grasse, mais bien faite et saine d'aspect, de traits communs mais non vulgaires et passablement engageants, au regard animal et doux, à la voix bêlante. Comme elle était prête à sortir, un petit feutre mou la coiffait; sur son corsage en forme de blouse, qu'un nœud marin coupait par le milieu, elle portait un col d'homme et des poignets blancs.

— Il y a longtemps que vous connaissez M. Wluiki?

— Je pourrais peut-être lui faire votre commission? reprenait-elle sans répondre.

— Voilà... J'aurais voulu savoir s'il est très occupé pour le moment!

— Ça dépend des jours.

— Parce que, s'il avait eu un peu de temps de libre, je pensais lui demander de... s'occuper pour moi d'un petit travail.

— Dans quel genre?

— Eh bien! précisément, voilà... J'aurais voulu d'abord connaître un peu le genre de ses occupations.

La question était sans astuce, mais l'apparence de Carola n'invitait guère aux subtilités. Cependant le comte de Baraglioul avait recouvré son assurance; il était assis à présent sur la chaise qu'avait débarrassée Carola, et celle-ci, près de lui, accotée contre la table, déjà commençait de parler, lorsqu'un grand bruit se fit dans le corridor : la porte s'ouvrit avec fracas et cette femme parut, que Julius avait aperçue dans la voiture.

— J'en étais sûre, dit-elle; quand je l'ai vu monter...

Et Carola, tout aussitôt, s'écartant un peu de Julius :

— Mais pas du tout, ma chère... nous causions. Mon amie Bertha Grand-Marnier; Monsieur le comte... pardon! voilà que j'ai oublié votre nom!

— Peu importe, fit Julius, un peu contraint, en serrant la main gantée que Bertha lui tendait.

— Présente-moi aussi, dit Carola...

— Écoute, ma petite : voilà une heure qu'on nous attend, reprit l'autre, après avoir présenté son amie. Si tu veux causer avec Monsieur, emmène-le : j'ai une voiture.

— Mais ce n'est pas moi qu'il venait voir.

— Alors viens! Vous dînerez ce soir avec nous?...

— Je regrette beaucoup.

— Excusez-moi, Monsieur, dit Carola rougissante, et

pressée à présent d'emmener son amie. Lafcadio va rentrer
d'un moment à l'autre.

Les deux femmes en sortant avaient laissé la porte
ouverte; sans tapis, le couloir était sonore; le coude qu'il
faisait empêchait qu'on ne vît venir; mais on entendait
approcher.

— Après tout, mieux que la femme encore, la chambre
me renseignera, j'espère, se dit Julius. Tranquillement il
commença d'examiner.

Presque rien dans cette banale chambre meublée ne se
prêtait hélas! à sa curiosité malexperte :

Pas de bibliothèque, pas de cadres aux murs. Sur la cheminée, la *Moll Flanders* de Daniel Defoe, en anglais, dans
une vile édition coupée seulement aux deux tiers, et les
Novelle d'Anton-Francesco Grazzini, dit le Lasca, en italien. Ces deux livres intriguèrent Julius. A côté d'eux,
derrière un flacon d'alcool de menthe, une photographie ne
l'inquiéta pas moins : sur une plage de sable, une femme,
non plus très jeune, mais étrangement belle, penchée au
bras d'un homme de type anglais très accusé, élégant et
svelte, en costume de sport; à leurs pieds, assis sur une
dérissoire renversée, un robuste enfant d'une quinzaine
d'années, aux épais cheveux clairs en désordre, l'air effronté,
rieur, et complètement nu.

Julius prit la photographie et l'approcha du jour pour
lire, au coin de droite, quelques mots pâlis : *Duino; juillet*
1886, — qui ne lui apprirent pas grand-chose, bien qu'il se
souvînt que Duino est une petite bourgade sur le littoral
autrichien de l'Adriatique. Hochant la tête de haut en bas
et les lèvres pincées, il reposa la photographie. Dans
l'âtre froid de la cheminée se réfugiaient une boîte de farine
d'avoine, un sac de lentilles et un sac de riz; dressé contre

le mur, un peu plus loin, un échiquier. Rien ne laissait entrevoir à Julius le genre d'études ou d'occupation auxquelles ce jeune homme employait ses journées.

Lafcadio venait apparemment de déjeuner; sur une table, dans une petite casserole, au-dessus d'un réchaud à essence, trempait encore ce petit œuf creux, en métal perforé, dont se servent pour préparer leur thé les touristes soucieux du moindre bagage; et des miettes autour d'une tasse salie. Julius s'approcha de la table; la table avait un tiroir et le tiroir avait sa clef...

Je ne voudrais pas qu'on se méprît sur le caractère de Julius, à ce qui va suivre : Julius n'était rien moins qu'indiscret; il respectait, de la vie de chacun, ce revêtement qu'il plaît à chacun de lui donner; il tenait en grand respect les décences. Mais, devant l'ordre de son père, il devait plier son humeur. Il attendit encore un instant, prêtant l'oreille, puis, n'entendant rien venir — contre son gré, contre ses principes, mais avec le sentiment délicat du devoir, — il amena le tiroir de la table dont la clef n'était pas tournée.

Un carnet relié en cuir de Russie se trouvait là; que prit Julius et qu'il ouvrit. Il lut sur la première page ces mots, de la même écriture que ceux de la photographie :

> *A Cadio, pour qu'il y inscrive ses comptes,*
> *A mon loyal compagnon, son vieux oncle.*
>
> > *Faby.*

et presque sans intervalle, au-dessous, d'une écriture un peu enfantine, sage, droite et régulière :

> *Duino. Ce matin,* 10 *juillet* 86, *lord Fabian est venu nous rejoindre ici. Il m'apporte une périssoire, une carabine et ce beau carnet.*

Rien d'autre sur cette première page.

Sur la troisième page, à la date du 29 *août*, on lisait :

Rendu 4 brasses à Faby. — Et le lendemain :
Rendu 12 brasses...

Julius comprit qu'il n'y avait là qu'un carnet d'entraîne-
ment. La liste des jours, toutefois, s'interrompait bientôt, et,
après une page blanche, on lisait :

20 septembre : Départ d'Alger pour l'Aurès.

Puis quelques indications de lieux et de dates : et, enfin,
cette dernière indication :

*5 octobre : Retour à El Kantara. 50 kilom. on horseback,
sans arrêt.*

Julius tourna quelques feuillets blancs; mais un peu plus
loin le carnet semblait reprendre à neuf. En manière de
nouveau titre, au chef d'une page était écrit en caractères
plus grands et appliqués :

QUI INCOMINCIA IL LIBRO

DELLA NOVA ESIGENZA

E

DELLA SUPREMA VIRTU.

Puis au-dessous, en guise d'épigraphe :

" Tanto quanto se ne taglia "
BOCCACIO.

Devant l'expression d'idées morales l'intérêt de Julius
s'éveillait brusquement; c'était gibier pour lui. Mais dès
la page suivante il fut déçu : on retombait dans la comptabilité. Pourtant, c'était une comptabilité d'un autre ordre.
On lisait, sans plus d'indication de dates ni de lieux :

Pour avoir gagné Protos aux échecs = 1 punta.
Pour avoir laissé voir que je parlais italien = 3 punte.
Pour avoir répondu avant Protos = 1 p.
Pour avoir eu le dernier mot = 1 p.
Pour avoir pleuré en apprenant la mort de Faby = 4 p.

Julius, qui lisait hâtivement, prit " punta " pour une pièce de monnaie étrangère et ne vit dans ces comptes qu'un puéril et mesquin marchandage de mérites et de rétributions. Puis, de nouveau, les comptes cessaient. Julius tournait encore la page, lisait :

Ce 4 avril, conversation avec Protos :
" Comprends-tu ce qu'il y a dans ces mots : PASSER OUTRE "?

Là s'arrêtait l'écriture.

Julius haussa les épaules, serra les lèvres, hocha la tête et remit en place le cahier. Il tira sa montre, se leva, s'approcha de la fenêtre, regarda dehors; la pluie avait cessé. Il se dirigea vers le coin de la chambre où, en entrant, il avait posé son parapluie; c'est à ce moment qu'il vit, appuyé un peu en retrait dans l'embrasure de la porte, un beau jeune homme blond qui l'observait en souriant.

III

L'adolescent de la photographie avait à peine mûri; Juste-Agénor avait dit : dix-neuf ans; on ne lui en eût pas donné plus de seize. Certainement Lafcadio, venait seulement d'arriver; en remettant à sa place le carnet, Julius avait déjà levé les yeux vers la porte et n'avait vu personne; mais comment ne l'avait-il pas entendu approcher? alors, instinctivement, regardant les pieds du jeune homme, Julius vit qu'en guise de bottines il avait chaussé des caoutchoucs.

Lafcadio souriait d'un sourire qui n'avait rien d'hostile; il semblait plutôt amusé, mais ironique; il avait gardé sur la tête une casquette de voyage, mais, dès qu'il rencontra le regard de Julius, se découvrit et s'inclina cérémonieusement.

— Monsieur Wluiki? demanda Julius.

Le jeune homme s'inclina de nouveau sans répondre.

— Pardonnez-moi de m'être installé dans votre chambre à vous attendre. A vrai dire, je n'aurais pas osé y entrer de moi-même et si l'on ne m'y avait introduit.

Julius parlait plus vite et plus haut que de coutume, pour se prouver qu'il n'était point gêné. Le front de Lafcadio se fronça presque insensiblement; il alla vers le parapluie de Julius; sans mot dire, le prit et le mit à ruisseler dans le couloir; puis, rentrant dans la chambre, fit signe à Julius de s'asseoir.

— Sans doute vous étonnez-vous de me voir?

Lafcadio tira tranquillement une cigarette d'un étui d'argent et l'alluma.

— Je m'en vais vous expliquer en peu de mots les raisons qui m'amènent, et que vous allez comprendre très vite...

Plus il parlait, plus il sentait se volatiliser son assurance.

— Voici... Mais permettez d'abord que je me nomme; — puis, comme gêné d'avoir à prononcer son nom, il tira de son gilet une carte et la tendit à Lafcadio, qui la posa, sans la regarder, sur la table.

— Je suis... Je viens d'achever un travail assez important; c'est un petit travail que je n'ai pas le temps de mettre au net moi-même. Quelqu'un m'a parlé de vous comme ayant une excellente écriture, et j'ai pensé que, d'autre part — ici le regard de Julius circula éloquemment à travers le dénuement de la pièce — j'ai pensé que vous ne seriez peut-être pas fâché de...

— Il n'y a personne à Paris, interrompit alors Lafcadio, personne qui ait pu vous parler de mon écriture. — Il porta alors les yeux sur le tiroir où Julius avait, sans s'en douter, fait sauter un imperceptible sceau de cire molle, puis tournant violemment la clef dans la serrure et la mettant ensuite dans sa poche : — personne qui ait le droit d'en parler, reprit-il, en regardant Julius rougir. — D'autre part (il parlait très lentement, comme bêtement, sans intonation aucune), je ne discerne pas encore nettement les raisons que peut avoir Monsieur... (il regarda la carte), que peut avoir de s'intéresser particulièrement à moi le comte Julius de Baraglioul. Cependant (et sa voix soudain, à l'instar de celle de Julius, se fit onctueuse et flexible), votre proposition mérite d'être prise en considération par quelqu'un qui a besoin d'argent, ainsi qu'il ne vous a pas échappé. (Il se leva.) — Permettez-moi, Monsieur, de venir vous porter ma réponse demain matin.

L'invite à sortir était nette. Julius se sentait en trop mauvaise posture pour insister; il prit son chapeau, hésita un instant :

— J'aurais voulu causer avec vous davantage, dit-il gauchement. Permettez-moi d'espérer que demain... Je vous attendrai dès dix heures.

Lafcadio s'inclina.

Sitôt que Julius eut tourné le couloir, Lafcadio repoussa la porte et tira le verrou. Il courut au tiroir, sortit son cahier, l'ouvrit à la dernière page indiscrète et, juste au point où, depuis bien des mois, il l'avait laissé, il écrivit, au crayon d'une grande écriture cabrée, très différente de la première :

Pour avoir laissé Olibrius fourrer son sale nez dans ce carnet = 1 punta.

Il tira de sa poche un canif, dont une lame très effilée ne formait plus qu'une sorte de court poinçon, la flamba sur une allumette et, à travers la poche de sa culotte, d'un coup, se l'enfonça droit dans la cuisse. Il ne put réprimer une grimace. Mais cela ne lui suffit pas. Au-dessous de sa phrase, sans s'asseoir, penché sur la table, il récrivit :

Et pour lui avoir montré que je le savais = 2 punte.

Cette fois il hésita; détacha sa culotte et la rabattit de côté. Il regarda sa cuisse où la petite blessure qu'il venait de faire saignait; il examina d'anciennes cicatrices qui, tout autour, laissaient comme des traces de vaccin. Il flamba la lame à nouveau, puis, très vite, par deux fois, l'enfonça derechef dans sa chair.

— Je ne prenais pas tant de précautions autrefois, se dit-il en allant au flacon d'alcool de menthe, dont il versa quelques gouttes sur les plaies.

Sa colère était un peu calmée, lorsque, en reposant le flacon, il remarqua que la photographie qui le représentait avec sa mère n'était plus tout à fait à la même place. Alors il la saisit, la contempla une dernière fois avec une sorte de détresse, puis, tandis qu'un flot de sang lui montait au visage, la déchira rageusement. Il voulut mettre le feu aux morceaux; mais ceux-ci prenaient mal la flamme; alors, débarrassant la cheminée des sacs qui l'encombraient, il posa dans le foyer, en guise de chenets, ses deux seuls livres, dépeça, lacéra, chiffonna son carnet, jeta, par-dessus, son image et alluma le tout.

Le visage contre la flamme, il se persuadait que, ces souvenirs, il les voyait brûler avec un contentement indicible; mais quand il se releva, après que tout fut en cendre, la tête lui tournait un peu. La chambre était pleine de fumée. Il alla à sa toilette et s'épongea le front.

A présent, il considérait la petite carte de visite d'un œil plus clair.

— *Comte Julius de Baraglioul*, répétait-il. *Dapprima importa sapere chi é.*

Il arracha le foulard qu'il portait en guise de cravate et de col, défit à demi sa chemise et, devant la fenêtre ouverte, laissa l'air frais baigner ses flancs. Puis, soudain pressé de sortir, promptement chaussé, cravaté, coiffé d'un décent feutre gris — apaisé et civilisé dans la mesure du possible, — Lafcadio ferma derrière lui la porte de sa chambre et s'achemina vers la place Saint-Sulpice. Là, en face de la mairie, à la bibliothèque Cardinal, il trouverait sans doute les renseignements qu'il souhaitait.

IV

En passant sous l'Odéon, le roman de Julius, exposé, frappa ses regards ; c'était un livre à couverture jaune, dont l'aspect seul eût fait bâiller Lafcadio tout autre jour. Il tâta son gousset et jeta un écu de cent sous sur le comptoir.

— Quel beau feu pour ce soir ! pensa-t-il, en emportant livre et monnaie.

A la bibliothèque, un " dictionnaire des contemporains " retraçait en peu de mots la carrière amorphe de Julius, donnait les titres de ses ouvrages, les louait en termes convenus, propres à rebuter tout désir.

Pouah ! fit Lafcadio... Il allait refermer le dictionnaire, quand trois mots de l'article précédent entrevus le firent sursauter. Quelques lignes au-dessus de :

Julius de Baraglioul (V^{mte}), dans la biographie de *Juste-Agénor*, Lafcadio lisait : " *Ministre à Bucarest en* 1873. "

Qu'avaient ces simples mots à faire ainsi battre son cœur?

Lafcadio, à qui sa mère avait donné cinq oncles, n'avait jamais connu son père; il acceptait de le tenir pour mort et s'était toujours abstenu de questionner à son sujet. Quant aux oncles (chacun de nationalité différente, et trois d'entre eux dans la diplomatie), il s'était assez vite avisé qu'ils n'avaient avec lui d'autre parenté que celle qu'il plaisait à la belle Wanda de leur prêter. Or Lafcadio venait de prendre dix-neuf ans. Il était né à Bucharest en 1874, précisément à la fin de la seconde année où le comte de Baraglioul y avait été retenu par ses fonctions.

Mis en éveil par cette visite mystérieuse de Julius, comment n'aurait-il pas vu là plus qu'une fortuite coïncidence? Il fit un grand effort pour lire l'article *Juste-Agénor;* mais les lignes tourbillonnaient devant ses yeux; tout au moins comprit-il que le comte de Baraglioul, père de Julius, était un homme considérable.

Une joie insolente éclata dans son cœur, y menant un tel tapage qu'il pensa qu'on allait l'entendre au-dehors. Mais non! ce vêtement de chair était décidément solide, imperméable. Il considéra sournoisement ses voisins, habitués de la salle de lecture, tous absorbés dans leur travail stupide... Il calculait : " né en 1821, le comte aurait soixante-douze ans. *Ma chi sa se vive ancore?...* " Il remit en place le dictionnaire et sortit.

L'azur se dégageait de quelques nuages légers que bousculait une brise assez vive. " *Importa di domesticare questo nuovo proposito* ", se dit Lafcadio, qui prisait par-dessus tout la libre disposition de soi-même; et, désespérant de mettre au pas cette turbulente pensée, il résolut de la bannir pour un moment de sa cervelle. Il tira de sa poche le roman de Julius et fit un grand effort pour s'y distraire; mais le livre était sans détour ni mystère, et rien n'était moins propre à lui permettre de s'échapper.

— C'est pourtant chez l'auteur de *cela* que demain je m'en vais jouer au secrétaire! se répétait-il malgré lui.

Il acheta le journal à un kiosque, et entra dans le Luxembourg. Les bancs étaient trempés; il ouvrit le livre, s'assit dessus et déploya le journal pour lire les faits divers. Tout de suite comme s'il avait su devoir les trouver là, ses yeux tombèrent sur ces lignes :

La santé du comte Juste-Agénor de Baraglioul, qui, comme l'on sait, avait donné de graves inquiétudes ces derniers jours, semble devoir se remettre; son état reste néanmoins encore précaire et ne lui permet de recevoir que quelques intimes.

Lafcadio bondit de dessus le banc; en un instant sa résolution fut prise. Oubliant le livre, il s'élança vers une papeterie de la rue Médicis où il se souvenait d'avoir vu, à la devanture, promettre des *cartes de visite à la minute, à 3 francs le cent*. Il souriait en marchant; la hardiesse de son projet subit l'amusait, car il était en mal d'aventure.

— Combien de temps pour me livrer un cent de cartes? demanda-t-il au marchand.

— Vous les aurez avant la nuit.

— Je paie double si vous les livrez dès 2 heures.

Le marchand feignit de consulter son livre de commandes.

— Pour vous obliger... oui, vous pourrez passer les prendre à 2 heures. A quel nom?

Alors, sur la feuille que lui tendit l'homme, sans trembler, sans rougir, mais le cœur un peu sursautant, il signa

LAFCADIO DE BARAGLIOUL

— Ce faquin ne me prend pas au sérieux, se dit-il en partant, piqué de ne recevoir pas un salut plus profond du fournisseur. Puis, comme il passait devant la glace d'une devanture : — Il faut reconnaître que je n'ai guère l'air Baraglioul ! Nous tâcherons d'ici tantôt de nous faire plus ressemblant.

Il n'était pas midi. Lafcadio, qu'une exaltation fantasque emplissait, ne se sentait point d'appétit encore.

— Marchons un peu, d'abord, ou je vais m'envoler, pensait-il. Et gardons le milieu de la chaussée; si je m'approche d'eux, ces passants vont s'apercevoir que je les dépasse énormément de la tête. Une supériorité de plus à cacher. On n'a jamais fini de parfaire un apprentissage.

Il entra dans un bureau de poste.

— *Place Malesherbes*... ce sera pour tantôt ! se dit-il en relevant dans un annuaire l'adresse du comte Juste-Agénor. — Mais qui m'empêche ce matin de pousser une reconnaissance jusqu'à la rue de Verneuil? (c'était l'adresse inscrite sur la carte de Julius).

Lafcadio connaissait ce quartier et l'aimait; quittant les rues trop fréquentées, il fit détour par la tranquille rue Vaneau où sa plus jeune joie pourrait respirer mieux à l'aise. Comme il tournait la rue de Babylone il vit des gens courir : près de l'impasse Oudinot un attroupement se formait devant une maison à deux étages d'où sortait une assez maussade fumée. Il se força de ne point allonger le pas malgré qu'il l'eût très élastique...

Lafcadio, mon ami, vous donnez dans un fait divers et ma plume vous abandonne. N'attendez pas que je rapporte les propos interrompus d'une foule, les cris...

Pénétrant, traversant cette tourbe comme une anguille, Lafcadio parvint au premier rang. Là sanglotait une pauvresse agenouillée.

— Mes enfants ! mes petits enfants ! disait-elle.

Une jeune fille la soutenait, dont la mise simplement élégante dénonçait qu'elle n'était point sa parente; très

pâle, et si belle qu'aussitôt attiré par elle Lafcadio l'inter-
rogea.

— Non, Monsieur, je ne la connais pas. Tout ce que
j'ai compris, c'est que ses deux petits enfants sont dans
cette chambre au second, où bientôt vont atteindre les
flammes; elles ont conquis l'escalier; on a prévenu les
pompiers, mais, le temps qu'ils viennent, la fumée aura
étouffé ces petits... Dites, Monsieur, ne serait-il pourtant
pas possible d'atteindre au balcon par ce mur, et, voyez,
en s'aidant de ce mince tuyau de descente? C'est un chemin
qu'ont déjà pris une fois des voleurs, disent ceux-ci; mais
ce que d'autres ont fait pour voler, aucun ici, pour sauver
des enfants, n'ose le faire. En vain j'ai promis cette bourse.
Ah! que ne suis-je un homme!...

Lafcadio n'en écouta pas plus long. Posant sa canne et son
chapeau aux pieds de la jeune fille, il s'élança. Pour agripper
le sommet du mur il n'eut recours à l'aide de personne;
une traction le rétablit; à présent, tout debout, il avançait
sur cette crête, évitant les tessons qui la hérissaient par
endroits.

Mais l'ébahissement de la foule redoubla lorsque, saisissant le conduit vertical, on le vit s'élever à la force des
bras, prenant à peine appui, de-ci, de-là, du bout des pieds
aux pitons de support. Le voici qui touche au balcon, dont
il empoigne d'une main la grille; la foule admire et ne
tremble plus, car vraiment son aisance est parfaite. D'un
coup d'épaule, il fait voler en éclats les carreaux; il disparaît
dans la pièce... Moment d'attente et d'angoisse indicible...
Puis on le voit reparaître, tenant un marmot pleurant dans
ses bras. D'un drap de lit qu'il a déchiré et dont il a noué
bout à bout les deux lés, il a fait une sorte de corde; il
attache l'enfant, le descend jusqu'aux bras de sa mère
éperdue. Le second a le même sort...

Quand Lafcadio descendit à son tour, la foule l'acclamait comme un héros :

— On me prend pour un clown, pensa-t-il, exaspéré de se sentir rougir, et repoussant l'ovation avec une mauvaise grâce brutale. Pourtant, lorsque la jeune fille, de laquelle il s'était de nouveau rapproché, lui tendit confusément, avec sa canne et son chapeau, cette bourse qu'elle avait promise, il la prit en souriant, et, l'ayant vidée des soixante francs qu'elle contenait, tendit l'argent à la pauvre mère qui maintenant étouffait ses fils de baisers.

— Me permettez-vous de garder la bourse en souvenir de vous, Mademoiselle?

C'était une petite bourse brodée, qu'il baisa. Tous deux se regardèrent un instant. La jeune fille semblait émue, plus pâle encore et comme désireuse de parler. Mais brusquement s'échappa Lafcadio, fendant la foule à coups de canne, l'air si froncé qu'on s'arrêta presque aussitôt de l'acclamer et de le suivre.

Il regagna le Luxembourg, puis, après un sommaire repas au *Gambrinus* voisin de l'Odéon, remonta prestement dans sa chambre. Sous une latte du plancher, il dissimulait ses ressources; trois pièces de vingt francs et une de dix sortirent de la cachette. Il calcula :

Cartes de visite : six francs.

Une paire de gants : cinq francs.

Une cravate : cinq francs (et qu'est-ce que je trouverai de propre pour ce prix-là?)

Une paire de chaussures : trente-cinq francs (je ne leur demanderai pas long usage).

Reste dix-neuf francs pour le fortuit.

(Par horreur du devoir Lafcadio payait toujours comptant.)

Il alla vers une armoire et sortit un complet de souple cheviote sombre, de coupe parfaite, point fatigué :

— Le malheur c'est que j'ai grandi, depuis... se dit-il en se ressouvenant de la brillante époque, non lointaine, où le marquis de Gesvres, son dernier oncle, l'emmenait tout fringant chez ses fournisseurs.

La malséance d'un vêtement était pour Lafcadio choquante autant que pour le calviniste un mensonge.

— Au plus pressé d'abord. Mon oncle de Gesvres disait qu'on reconnaît l'homme aux chaussures.

Et par égard pour les souliers qu'il allait essayer, il commença par changer de chaussettes.

V

Le comte Juste-Agénor de Baraglioul n'avait plus quitté depuis cinq ans son luxueux appartement de la place Malesherbes. C'est là qu'il se préparait à mourir, errant pensivement dans ces salles encombrées de collections, ou, plus souvent, confiné dans sa chambre et prêtant ses épaules et ses bras douloureux au bienfait des serviettes chaudes et des compresses sédatives. Un énorme foulard couleur madère enveloppait sa tête admirable en manière de turban, dont une extrémité restait flottante et rejoignait la dentelle de son col et l'épais gilet justaucorps de laine havane sur lequel sa barbe en cascade d'argent s'épandait. Ses pieds gantés de babouches en cuir blanc posaient sur un coussin d'eau chaude. Il plongeait tour à tour l'une et l'autre de ses mains exsangues dans un bain de sable brûlant, au-dessous duquel une lampe à alcool veillait. Un châle gris couvrait ses genoux. Certainement il ressemblait à Julius ; mais davantage encore à quelque portrait du Titien ;

et Julius ne donnait de ses traits qu'une réplique affadie, comme il n'avait donné dans l'*Air des Cimes* qu'une image édulcorée de sa vie, et réduite à l'insignifiance.

Juste-Agénor de Baraglioul buvait une tasse de tisane en écoutant une homélie du père Avril, son confesseur, qu'il avait pris l'habitude de consulter fréquemment; à ce moment, on frappa à la porte et le fidèle Hector, qui depuis vingt ans remplissait auprès de lui les fonctions de valet de pied, de garde-malade et au besoin de conseiller, apporta sur un plateau de laque une petite enveloppe fermée.

— Ce Monsieur espère que Monsieur le comte voudra bien le recevoir.

Juste-Agénor posa sa tasse, déchira l'enveloppe et en tira la carte de Lafcadio. Il la froissa nerveusement dans sa main :

— Dites que... puis, se maîtrisant : Un Monsieur? tu veux dire : un jeune homme? Enfin quel genre de personne est-ce?

— Quelqu'un que Monsieur peut recevoir.

— Mon cher abbé, dit le comte en se tournant vers le père Avril, excusez-moi s'il me faut vous prier d'arrêter là notre entretien; mais ne manquez pas de revenir demain; sans doute aurai-je du nouveau à vous apprendre, et je pense que vous serez satisfait.

Il garda le front dans la main, tandis que le père Avril se retirait par la porte du salon; puis, relevant enfin la tête :

— Fais entrer.

Lafcadio s'avança dans la pièce le front haut, avec une mâle assurance; arrivé devant le vieillard, il s'inclina gravement. Comme il s'était promis de ne parler point avant d'avoir pris temps de compter jusqu'à douze, ce fut le comte qui commença :

— D'abord sachez, Monsieur, qu'il n'y a pas de Lafcadio de Baraglioul, dit-il en déchirant la carte et veuillez avertir Monsieur Lafcadio Wluiki, puisqu'il est de vos amis, que s'il s'avise de jouer de ces cartons, s'il ne les déchire pas tous comme je fais celui-ci (il le réduisit en très petits morceaux qu'il jeta dans sa tasse vide), je le signale aussitôt à la police, et le fais arrêter comme un vulgaire flibustier. Vous m'avez compris?... Maintenant venez au jour, que je vous regarde.

— Lafcadio Wluiki vous obéira, Monsieur.. (Sa voix très déférente tremblait un peu.) Pardonnez le moyen qu'il a pris pour s'introduire auprès de vous; dans son esprit il n'est entré aucune intention malhonnête. Il voudrait vous convaincre qu'il mérite... au moins votre estime.

— Vous êtes bien bâti. Mais cet habit vous va mal, reprit le comte qui ne voulait avoir rien entendu.

— Je ne m'étais donc pas mépris? dit, en hasardant un sourire, Lafcadio qui se prêtait complaisamment à l'examen.

— Dieu merci! c'est à sa mère qu'il ressemble, murmura le vieux Baraglioul.

Lafcadio prit son temps, puis, à voix presque basse et regardant le comte fixement :

— Si je ne laisse pas trop paraître, m'est-il tout à fait défendu de ressembler aussi à...

— Je parlais du physique. Quand vous ne tiendriez pas de votre mère seulement, Dieu ne me laissera pas le temps de le reconnaître.

A ce moment le châle gris glissa de ses genoux à terre.

Lafcadio s'élança, et, tandis qu'il était courbé, sentit la main du vieux peser doucement sur son épaule.

— Lafcadio Wluiki, reprit Juste-Agénor quand il fut

redressé, mes instants sont comptés; je ne lutterai pas de finesse avec vous; cela me fatiguerait. Je consens que vous ne soyez pas bête; il me plaît que vous ne soyez pas laid. Ce que vous venez de risquer annonce un peu de braverie, qui ne vous messied pas; j'ai d'abord cru à de l'impudence, mais votre voix, votre maintien me rassurent. Pour le reste, j'avais demandé à mon fils Julius de m'en instruire; mais je m'aperçois que cela ne m'intéresse pas beaucoup, et m'importe moins que de vous avoir vu. Maintenant, Lafcadio, écoutez-moi : Aucun acte civil, aucun papier ne témoigne de votre identité. J'ai pris soin de ne vous laisser les possibilités d'aucun recours. Non, ne protestez pas de vos sentiments, c'est inutile; ne m'interrompez pas. Votre silence jusqu'aujourd'hui m'est garant que votre mère avait su garder sa promesse de ne point vous parler de moi. C'est bien. Ainsi que j'en avais pris l'engagement vis-à-vis d'elle, vous connaîtrez l'effet de ma reconnaissance. Par l'entremise de Julius, mon fils, nonobstant les difficultés de la loi, je vous ferai tenir cette part d'héritage que j'ai dit à votre mère que je vous réserverais. C'est-à-dire que, sur mon autre enfant, la comtesse Guy de Saint-Prix, j'avantagerai mon fils Julius dans la mesure où la loi m'y autorise, et précisément de la somme que je voudrais, à travers lui, vous laisser. Cela s'élèvera, je pense, à... mettons quarante mille livres de rente; je dois voir mon notaire tantôt et j'examinerai ces chiffres avec lui... Asseyez-vous, si vous devez être mieux pour m'entendre. (Lafcadio venait de s'appuyer au bord de la table.) Julius peut s'opposer à tout cela; il a la loi pour lui; je compte sur son honnêteté pour n'en rien faire; je compte sur la vôtre pour ne jamais troubler la famille de Julius, non plus que votre mère n'avait jamais troublé la mienne. Pour Julius et les siens, Lafcadio Wluiki seul existe. Je ne veux pas que vous portiez mon deuil. Mon

... ...mille est une grande chose fermée; vous ne serez jamais qu'un bâtard.

Lafcadio ne s'était pas assis malgré l'invitation de son père qui l'avait surpris chancelant; déjà maîtrisé le vertige, il s'appuyait au rebord de la table où posaient la tasse et les réchauds; il gardait une posture très déférente.

— Dites-moi, maintenant : vous avez donc vu ce matin mon fils Julius. Il vous a dit...

— Il n'a rien dit précisément; j'ai deviné.

— Le maladroit!... oh! c'est de l'autre que je parle... Devez-vous le revoir?

— Il m'a prié en qualité de secrétaire.

— Vous avez accepté?

— Cela vous déplaît-il?

— ... Non. Mais je crois qu'il vaut mieux que vous ne vous... reconnaissiez pas.

— Je le pensais aussi. Mais, sans le reconnaître précisément, je voudrais le connaître un peu.

— Vous n'avez pourtant pas l'intention, je suppose, de demeurer longtemps dans ces fonctions subalternes?

— Le temps de me retourner, simplement.

— Et après, qu'est-ce que vous comptez faire, maintenant que vous voici fortuné?

— Ah! Monsieur, hier j'avais à peine de quoi manger; laissez-moi le temps de connaître ma faim.

A ce moment Hector frappa à la porte :

— C'est Monsieur le vicomte qui demande à voir Monsieur. Dois-je faire entrer?

Le front du vieux se rembrunit; il garda le silence un instant, mais comme Lafcadio discrètement s'était levé et faisait mine de se retirer :

— Restez! cria Juste-Agénor avec une violence qui conquit le jeune homme; puis, se tournant vers Hector :

— Ah! tant pis! Je lui avais pourtant bien recommandé
de ne pas chercher à me voir... Dis-lui que je suis occupé,
que... je lui écrirai.

Hector s'inclina et sortit.

Le vieux comte garda quelques instants les yeux clos;
il semblait dormir, mais, à travers sa barbe, on pouvait
voir ses lèvres remuer. Enfin il releva ses paupières, tendit
la main à Lafcadio et, d'une voix toute changée, adoucie et
comme rompue :

— Touchez là, mon enfant. Vous devez me laisser,
maintenant.

— Il me faut vous faire un aveu, dit Lafcadio en hésitant;
pour me présenter décemment devant vous, j'ai vidé mes
dernières ressources. Si vous ne m'aidez pas, je ne sais
trop comment je dînerai ce soir; et pas du tout comment
demain... à moins que Monsieur votre fils...

— Prenez toujours ceci, dit le comte en sortant cinq cents
francs d'un tiroir. — Eh bien! qu'attendez-vous?

— J'aurais voulu vous demander encore... si je ne puis
espérer de vous revoir?

— Ma foi! j'avoue que ça ne serait pas sans plaisir. Mais
les révérendes personnes qui s'occupent de mon salut
m'entretiennent dans une humeur à faire passer mon plaisir
en second. Quant à ma bénédiction, je m'en vais vous la
donner tout de suite — et le vieux ouvrit ses bras pour l'accueillir. Lafcadio, au lieu de se jeter dans les bras du comte,
s'agenouilla pieusement devant lui, et, la tête dans ses
genoux, sanglotant, tout tendresse aussitôt sous l'étreinte,
sentit fondre son cœur aux résolutions farouches.

— Mon enfant, mon enfant, balbutiait le vieux, je
suis en retard avec vous.

Quand Lafcadio se releva, son visage était plein de
larmes.

Comme il allait partir et mettait dans sa poche le billet qu'il n'avait pas pris aussitôt, Lafcadio retrouva les cartes de visite et, les tendant au comte :

— Tenez, voici tout le paquet.

— J'ai confiance en vous; vous le déchirerez vous-même. Adieu!

— Ç'aurait fait le meilleur des oncles, pensait Lafcadio en regagnant le quartier latin; — et même avec quelque chose en plus, ajoutait-il avec un rien de mélancolie. — Bah! — Il sortit le paquet de cartes, l'ouvrit en éventail et le déchira d'un coup sans effort.

— Je n'ai jamais eu de confiance dans les égouts, murmura-t-il en jetant " Lafcadio " dans une bouche; et il ne jeta que deux bouches plus loin " de Baraglioul ".

— N'importe, Baraglioul ou Wluiki, occupons-nous à liquider notre passé.

Il connaissait, boulevard Saint-Michel, un bijoutier devant lequel Carola le forçait de s'arrêter chaque jour. A l'insolente devanture elle avait distingué, l'avant-veille, une paire de boutons de manchettes singuliers. Ils présentaient — reliés deux à deux par une agrafe d'or et taillés dans un quartz étrange, sorte d'agate embrouillardée, qui ne laissait rien voir au travers d'elle, bien qu'elle parût transparente — quatre têtes de chat encerclées. Comme Venitequa portait — avec cette forme de corsage masculin qu'on appelle costume tailleur, ainsi que je l'ai déjà dit — des manchettes et comme elle avait le goût saugrenu, elle convoitait ces boutons.

Ils n'étaient point tant amusants que bizarres; Lafcadio les trouvait affreux; il se fût irrité de les voir sur sa maîtresse; mais du moment qu'il la quittait... Entrant dans la boutique il paya cent vingt francs ces boutons.

— Un bout de papier s'il vous plaît. Et, sur la feuille

que le marchand lui tendit, penché vers le comptoir, il écrivit :

A Carola Venitequa
Pour la remercier d'avoir introduit l'inconnu dans ma chambre,
et en la priant de ne plus y remettre les pieds.

Le papier plié, il le glissa dans la boîte où le marchand empaqueta le bijou.

— Ne précipitons rien, se dit-il, au moment de remettre la boîte au concierge. Passons encore la nuit sous ce toit, et contentons-nous pour ce soir de fermer notre porte à mademoiselle Carola.

VI

Julius de Baraglioul vivait sous le régime prolongé d'une morale provisoire, cette même morale à laquelle se soumettait Descartes en attendant d'avoir bien établi les règles d'après lesquelles vivre et dépenser désormais. Mais ni le tempérament de Julius ne parlait avec une telle intransigeance, ni sa pensée avec une telle autorité qu'il eût été jusqu'à présent beaucoup gêné pour se régler aux convenances. Il n'exigeait, tout compte fait, que du confort, dont ses succès d'homme de lettres faisaient partie. Au décri de son dernier livre, pour la première fois il ressentait de la piqûre.

Il n'avait pas été peu mortifié en se voyant refuser accès auprès de son père ; il l'eût été bien davantage s'il avait pu savoir qui venait de le devancer près du vieux. En s'en retournant rue de Verneuil, il repoussait de plus en plus faiblement l'impertinente supposition qui déjà l'avait importuné tandis qu'il se rendait chez Lafcadio. Lui aussi rapprochait faits et dates; lui aussi se refusait désormais à ne voir qu'une simple coïncidence dans cette étrange conjonction. Au reste la jeune grâce de Lafcadio l'avait séduit, et bien qu'il se doutât que son père, en faveur de ce frère bâtard, l'allait frustrer d'une parcelle de patrimoine, il ne se sentait à son égard aucune malveillance; même il l'attendait ce matin avec une assez tendre et prévenante curiosité.

Quant à Lafcadio, si ombrageux qu'il fût et réticent, cette rare occasion de parler le tentait; et le plaisir d'incommoder un peu Julius. Car même avec Protos il n'avait jamais été bien avant dans la confidence. Quel chemin il avait fait, depuis! Julius après tout ne lui déplaisait pas, si fantoche qu'il lui parût; il était amusé de se savoir son frère.

Comme il s'acheminait vers la demeure de Julius ce matin, lendemain du jour qu'il avait reçu sa visite, il lui advint une assez bizarre aventure : Par amour du détour, poussé peut-être par son génie, aussi pour fatiguer certaine turbulence de son esprit et de sa chair, et désireux de se présenter maître de soi chez son frère, Lafcadio prenait par le plus long; il avait suivi le boulevard des Invalides, était repassé près du théâtre de l'incendie, puis continuait par la rue de Bellechasse.

— Trente-quatre rue de Verneuil, se répétait-il en marchant; quatre et trois, sept : le chiffre est bon.

Il débouchait rue Saint-Dominique, à l'endroit où cette rue coupe le boulevard Saint-Germain, lorsque, de l'autre côté du boulevard, il vit et crut aussitôt reconnaître cette jeune fille qui, depuis la veille, ne laissait pas d'occuper un peu sa pensée. Il pressa le pas aussitôt... C'était elle! Il la rejoignit à l'extrémité de la courte rue de Villersexel, mais estimant qu'il serait peu Baraglioul de l'aborder, se contenta de lui sourire en s'inclinant un peu et soulevant discrète

ment son chapeau; puis, passant rapidement, il trouva fort
expédient de se jeter dans un bureau de tabac, tandis que la
jeune fille, prenant de nouveau les devants, tournait dans
la rue de l'Université.

Quand Lafcadio ressortit du bureau et entra dans ladite
rue à son tour, il regarda de droite et de gauche : la jeune
fille avait disparu. — Lafcadio, mon ami, vous donnez
dans le plus banal; si vous devez tomber amoureux, ne
comptez pas sur ma plume pour peindre le désarroi de votre
cœur... Mais non : il eût trouvé malséant de commencer
une poursuite; aussi bien ne voulait-il pas se présenter en
retard chez Julius, et le détour qu'il venait de faire ne lui
laissait plus le temps de muser. La rue de Verneuil heureusement était proche; la maison qu'occupait Julius, au premier coin de rue. Lafcadio jeta le nom du comte au concierge
et s'élança dans l'escalier.

Cependant Geneviève de Baraglioul, — car c'était elle,
la fille aînée du comte Julius, qui revenait de l'hôpital des
Enfants-Malades, où elle allait tous les matins, — bien plus
troublée que Lafcadio par cette nouvelle rencontre, avait
regagné en grande hâte la demeure paternelle; entrée sous la
porte cochère précisément à l'instant où Lafcadio tournait
la rue, elle atteignait le second étage lorsque des bonds
pressés, derrière elle, la firent retourner; quelqu'un montait
plus vite qu'elle; elle s'effaçait pour laisser passer, mais,
reconnaissant tout à coup Lafcadio qui s'arrêtait interdit,
en face d'elle :

— Est-il digne de vous, Monsieur, de me poursuivre?
dit-elle du ton le plus courroucé qu'elle put.

— Hélas! Mademoiselle, qu'allez-vous penser de moi?
s'écria Lafcadio. Vous ne me croirez pas si je vous dis
que je ne vous avais pas vue entrer dans cette maison, où je
suis on ne peut plus surpris de vous retrouver. N'est-ce

donc pas ici qu'habite le comte Julius de Baraglioul?
— Quoi! fit Geneviève en rougissant, vous seriez le
nouveau secrétaire qu'attend mon père? Monsieur Lafcadio
Wlou... vous portez un nom si bizarre que je ne sais
comment le prononcer. — Et comme Lafcadio, rougissant
à son tour, s'inclinait : — Puisque je vous retrouve ici,
Monsieur, puis-je vous demander en grâce de ne point
parler à mes parents de cette aventure d'hier, que je crois
qu'ils ne goûteraient guère; ni surtout de la bourse que je
leur ai dit avoir perdue.

— J'allais, Mademoiselle, vous supplier également de
garder le silence sur le rôle absurde que vous m'avez vu
jouer. Je suis comme vos parents : je ne le comprends
guère, et je ne l'approuve pas du tout. Vous avez
dû me prendre pour un terre-neuve. Je n'ai pas pu me
retenir... Excusez-moi. J'ai à apprendre encore... Mais
j'apprendrai, je vous assure... Voulez-vous me donner la
main?

Geneviève de Baraglioul, qui ne s'avouait pas à elle-même
qu'elle trouvait Lafcadio très beau, n'avoua pas à Lafcadio
que, loin de lui paraître ridicule, il avait pris pour elle figure
de héros. Elle lui tendit une main qu'il porta fougueuse-
ment à ses lèvres; alors, souriant simplement, elle le pria
de redescendre quelques marches et d'attendre qu'elle fût
rentrée et eût refermé la porte pour sonner à son tour, de
sorte qu'on ne les vît point ensemble; et surtout de ne
point montrer, dans la suite, qu'ils s'étaient précédemment
rencontrés.

Quelques minutes plus tard Lafcadio était introduit dans
le cabinet du romancier.

L'accueil de Julius fut engageant; Julius ne savait pas
s'y prendre; l'autre se défendit aussitôt :

— Monsieur, je dois vous avertir d'abord : j'ai grande horreur de la reconnaissance; autant que des dettes; et quoi que vous fassiez pour moi, vous ne pourrez m'amener à me sentir votre obligé.

Julius à son tour se rebiffa :

— Je ne cherche pas à vous acheter, monsieur Wluiki, commençait-il déjà de son haut... Mais tous deux voyant qu'ils allaient se couper les ponts, ils s'arrêtèrent net et, après un moment de silence :

— Quel est donc ce travail que vous vouliez me confier? commença Lafcadio d'un ton plus souple.

Julius se déroba, prétextant que le texte n'en était pas encore au point; il ne pouvait être mauvais d'ailleurs qu'ils fissent auparavant plus ample connaissance.

— Avouez, Monsieur, reprit Lafcadio d'un ton enjoué, qu'hier vous ne m'avez pas attendu pour la faire, et que vous avez favorisé de vos regards certain carnet...?

Julius perdit pied, et, quelque peu confusément :

— J'avoue que je l'ai fait, dit-il; puis dignement : — je m'en excuse. Si la chose était à refaire, je ne la recommencerais pas.

— Elle n'est plus à faire : j'ai brûlé le carnet.

Les traits de Julius se désolèrent :

— Vous êtes très fâché?

— Si j'étais encore fâché, je ne vous en parlerais pas. Excusez le ton que j'ai pris tout à l'heure en entrant, continua Lafcadio résolu à pousser sa pointe. Tout de même je voudrais bien savoir si vous avez également lu un bout de lettre qui se trouvait dans le carnet?

Julius n'avait point lu le bout de lettre; pour la raison qu'il ne l'avait point trouvé; mais il en profita pour protester de sa discrétion. Lafcadio s'amusait de lui et s'amusait à le laisser paraître.

— J'ai pris déjà quelque peu de revanche sur votre dernier livre, hier.

— Il n'est guère fait pour vous intéresser, se hâta de dire Julius.

— Oh! je ne l'ai pas lu tout entier. Il faut que je vous avoue que je n'ai pas grand goût pour la lecture. En vérité je n'ai jamais pris de plaisir qu'à *Robinson*... Si, *Aladdin* encore... A vos yeux, me voici bien disqualifié.

Julius leva la main doucement :

— Simplement je vous plains : vous vous privez de grandes joies.

— J'en connais d'autres.

— Qui ne sont peut-être pas d'aussi bonne qualité.

— Soyez-en sûr! — Et Lafcadio riait avec passablement d'impertinence.

— Ce dont vous souffrirez un jour, reprit Julius un peu chatouillé par la gouaille.

— Quand il sera trop tard, acheva sentencieusement Lafcadio; puis brusquement : — Cela vous amuse beaucoup d'écrire?

Julius se redressa :

— Je n'écris pas pour m'amuser, dit-il noblement. Les joies que je goûte en écrivant sont supérieures à celles que je pourrais trouver à vivre. Du reste l'un n'empêche pas l'autre...

— Cela se dit. — Puis, élevant brusquement le ton qu'il avait laissé retomber comme par négligence : — Savez-vous ce qui me gâte l'écriture? Ce sont les corrections, les ratures, les maquillages qu'on y fait.

— Croyez-vous donc qu'on ne se corrige pas, dans la vie? demanda Julius allumé.

— Vous ne m'entendez pas : Dans la vie, on se corrige, à ce qu'on dit, on s'améliore; on ne peut corriger ce qu'on

a fait. C'est ce droit de retouche qui fait de l'écriture une
chose si grise et si... (il n'acheva pas). Oui; c'est là ce qui
me paraît si beau dans la vie; c'est qu'il faut peindre dans
le frais. La rature y est défendue.

— Y aurait-il à raturer dans votre vie?

— Non... pas encore trop... Et puisqu'on ne peut pas...
Lafcadio se tut un instant, puis : — C'est tout de même par
désir de rature que j'ai jeté au feu mon carnet!... Trop tard,
vous voyez bien... Mais avouez que vous n'y avez pas
compris grand-chose.

Non; cela, Julius ne l'avouerait point.

— Me permettez-vous quelques questions? dit-il en
guise de réponse.

Lafcadio se leva si brusquement que Julius crut qu'il
voulait fuir; mais il alla seulement vers la fenêtre, et soulevant le rideau d'étamine :

— C'est à vous ce jardin?

— Non, fit Julius.

— Monsieur, je n'ai laissé jusqu'à présent personne
lorgner si peu que ce soit dans ma vie, reprit Lafcadio
sans se retourner. Puis, revenant à Julius qui ne voyait déja
plus en lui qu'un gamin : — Mais aujourd'hui c'est jour
férié; je m'en vais me donner vacances, pour une unique
fois dans ma vie. Posez vos questions, je m'engage à
répondre à toutes... Ah! que je vous dise d'abord que j'ai
flanqué à la porte la fille qui hier vous l'avait ouverte.

Par convenance Julius prit un air consterné.

— A cause de moi! Croyez que...

— Bah! depuis quelque temps je cherchais comment
m'en défaire.

— Vous... viviez avec elle? demanda gauchement Julius.

— Oui; par hygiène... Mais le moins possible; et en
souvenir d'un ami qui avait été son amant.

— Monsieur Protos, peut-être? hasarda Julius, bien décidé à ravaler ses indignations, ses dégoûts, ses réprobations et à ne laisser paraître de son étonnement, ce premier jour, que ce qu'il en faudrait pour animer un peu ses répliques.

— Oui, Protos, répondit Lafcadio tout riant. Vous voudriez savoir qui est Protos?

— De connaître un peu vos amis m'apprendrait peut-être à vous connaître.

— C'était un Italien, du nom de... ma foi, je ne sais plus, et peu importe! Ses camarades, ses maîtres même ne l'appelèrent plus que par ce surnom, à partir du jour où il décrocha brusquement la première place de thème grec.

— Je ne me souviens pas d'avoir jamais été premier moi-même, dit Julius pour aider à la confidence; mais j'ai toujours aimé, moi aussi, me lier avec les premiers. Donc, Protos...

— Oh! c'était à la suite d'un pari qu'il avait fait. Auparavant il restait l'un des derniers de notre classe, bien qu'un des plus âgés; tandis que j'étais l'un des plus jeunes; mais, ma foi, je n'en travaillais pas mieux pour ça. Protos marquait un grand mépris pour ce que nous enseignaient nos maîtres; pourtant, après qu'un de nos forts-en-thèmes, qu'il détestait, lui eût dit un jour : il est commode de dédaigner ce dont on ne serait pas capable (ou je ne sais quoi dans ce goût), Protos se piqua, s'entêta quinze jours durant, fit si bien qu'à la composition qui suivit il passa par-dessus la tête de l'autre, premier! à la grande stupeur de nous tous. Je devrais dire : d'eux tous. Quant à moi je tenais Protos en considération trop haute pour que cela pût beaucoup m'étonner. Il m'avait dit : je leur montrerai que ça n'est pas si difficile! Je l'avais cru.

— Si je vous entends bien, Protos a eu sur vous de l'influence.

— Peut-être. Il m'imposait. A vrai dire, je n'ai eu avec lui qu'une seule conversation intime; mais elle fut pour moi si persuasive que, le lendemain, je m'enfuis de la pension où je me blanchissais comme une salade sous une tuile, et je regagnai à pied Baden où ma mère vivait alors en compagnie de mon oncle le marquis de Gesvres... Mais nous commençons par la fin. Je pressens que vous me questionneriez très mal. Tenez! laissez-moi vous raconter ma vie, tout simplement. Vous apprendrez ainsi beaucoup plus que vous n'auriez su demander, et peut-être même souhaité d'apprendre... Non, merci, je préfère les miennes, dit-il en sortant son étui et jetant la cigarette que lui avait d'abord offerte Julius et qu'en discourant il avait laissé éteindre.

VII

— Je suis né à Bucharest, en 1874, commença-t-il avec lenteur, et, comme vous le savez, je crois, perdis mon père peu de mois après ma naissance. La première personne que je distinguai aux côtés de ma mère, c'est un Allemand, mon oncle, le baron Heldenbruck. Mais comme je le perdis à l'âge de douze ans, je n'ai gardé de lui qu'un assez indistinct souvenir. C'était, paraît-il, un financier remarquable. Il m'enseigna sa langue, et le calcul par de si habiles détours que j'y pris aussitôt un amusement extraordinaire. Il avait fait de moi ce qu'il appelait complaisamment son caissier, c'est-à-dire qu'il me confiait une fortune de menue monnaie et que partout où je l'accompagnais j'étais chargé de la dépense. Quoi que ce fût qu'il achetât (et il achetait

beaucoup) il prétendait que je susse faire l'addition, le
temps de sortir argent ou billet de ma poche. Parfois il
m'embarrassait de monnaies étrangères et c'étaient des
questions de change; puis d'escompte, d'intérêt, de prêt;
enfin même de spéculation. A ce métier je devins promptement assez habile à faire des multiplications, et même des
divisions de plusieurs chiffres, sans papier... Rassurez-vous
(car il voyait les sourcils de Julius se froncer), cela ne m'a
donné le goût ni de l'argent, ni du calcul. Ainsi je ne tiens
jamais de comptes, si cela vous amuse de le savoir. A vrai
dire, cette première éducation est demeurée toute pratique
et positive, et n'a touché en moi aucun ressort... Puis
Heldenbruck s'entendait merveilleusement à l'hygiène
de l'enfance; il persuada ma mère de me laisser vivre tête
et pieds nus, par quelque temps qu'il fît, au grand air le
plus souvent possible; il me plongeait lui-même dans l'eau
froide, hiver comme été; j'y prenais grand plaisir... Mais
vous n'avez que faire de ces détails.

— Si, si!

— Puis ses affaires l'appelèrent en Amérique. Je ne l'ai
plus revu.

"A Bucharest, les salons de ma mère s'ouvraient à la
société la plus brillante, et, autant que j'en puis juger de
souvenir, la plus mêlée; mais dans l'intimité fréquentaient
surtout, alors, mon oncle le prince Wladimir Bielkowski
et Ardengo Baldi que je ne sais pourquoi je n'appelai jamais
mon oncle. Les intérêts de la Russie (j'allais dire de la
Pologne) et de l'Italie les retinrent à Bucharest trois ou
quatre ans. Chacun des deux m'apprit sa langue; c'est-à-dire
l'italien et le polonais, car pour le russe, si je le lis et le
comprends sans trop de peine, je ne l'ai jamais parlé couramment. A cause de la société que recevait ma mère, et où
j'étais choyé, il ne se passait point de jour que je n'eusse

l'occasion d'exercer ainsi quatre ou cinq langues, qu'à
l'âge de treize ans déjà je parlais sans accent aucun, à peu
près indifféremment; mais le français pourtant de préférence, parce que c'était la langue de mon père et que ma
mère avait tenu à ce que je l'apprisse d'abord.

" Bielkowski s'occupait beaucoup de moi, comme tous
ceux qui voulaient plaire à ma mère; c'est à moi qu'il
semblait que l'on fit la cour; mais ce qu'il en faisait, lui,
c'était, je crois, sans calcul, car il cédait toujours à sa pente,
qu'il avait prompte et de plus d'un côté. Il s'occupait de
moi, même en dehors de ce qu'en connaissait ma mère : et
je ne laissais pas d'être flatté de l'attachement particulier
qu'il me montrait. Cet homme bizarre transforma du jour
au lendemain notre existence un peu rassise en une sorte
de fête éperdue. Non, il ne suffit pas de dire qu'il s'abandonnait à sa pente : il s'y précipitait, s'y ruait; il apportait
à son plaisir une espèce de frénésie.

" Il nous emmena trois étés dans une villa, ou plutôt
un château, sur le versant hongrois des Karpathes, près
d'Eperjès, où nous allions fréquemment en voiture. Mais
plus souvent encore nous montions à cheval; et rien n'amusait plus ma mère que de parcourir à l'aventure la campagne et la forêt des environs, qui sont fort belles. Le poney
que m'avait donné Wladimir fut pendant plus d'un an ce
que j'aimai le plus au monde.

" Au second été, Ardengo Baldi vint nous rejoindre;
c'est alors qu'il m'apprit les échecs. Rompu par Heldenbruck aux calculs de tête, je pris assez vite l'habitude de
jouer sans regarder l'échiquier.

" Baldi faisait avec Bielkowski bon ménage. Le soir, dans
une tour solitaire, noyés dans le silence du parc et de la
forêt, tous quatre nous prolongions assez tard les veillées
à battre et rebattre les cartes; car, bien que je ne fusse

encore qu'un enfant — j'avais treize ans — Baldi m'avait,
par horreur du " mort ", appris le whist et à tricher.

" Jongleur, escamoteur, prestidigitateur, acrobate; les
premiers temps que celui-ci vint chez nous, mon imagination sortait à peine du long jeûne à quoi l'avait soumise
Heldenbruck; j'étais affamé de merveilles, crédule et de
tendre curiosité. Plus tard Baldi m'instruisit de ses tours;
mais de pénétrer leur secret ne put effacer la première
impression du mystère lorsque, le premier soir, je le vis tout
tranquillement allumer à l'ongle de son petit doigt sa
cigarette, puis, comme il venait de perdre au jeu, extraire
de mon oreille et de mon nez autant de roubles qu'il fallut,
ce qui me terrifia littéralement, mais amusa beaucoup la
galerie, car il disait, toujours de ce même air tranquille :
" Heureusement que cet enfant est une mine inépuisable! "

" Les soirs qu'il se trouvait seul avec ma mère et moi,
il inventait toujours quelque jeu nouveau, quelque surprise
ou quelque farce; il singeait tous nos familiers, grimaçait,
se départait de toute ressemblance avec lui-même, imitait
toutes les voix, les cris d'animaux, les bruits d'instruments,
tirait de lui des sons bizarres, chantait en s'accompagnant
sur la guzla, dansait, cabriolait, marchait sur les mains,
bondissait par-dessus tables ou chaises, et, déchaussé,
jonglait avec les pieds, à la manière japonaise, faisant pi-
rouetter le paravent ou le guéridon du salon sur la pointe de
son orteil; il jonglait avec les mains mieux encore; d'un
papier chiffonné, déchiré, faisait éclore maints papillons
blancs que je pourchassais de mon souffle et qu'il maintenait suspendus en l'air au-dessus des battements d'un
éventail. Ainsi les objets près de lui perdaient poids et
réalité, présence même, ou bien prenaient une signification
nouvelle, inattendue, baroque, distante de toute utilité :
" Il y a bien peu de choses avec quoi il ne soit pas amusant

de jongler ", disait-il. Avec cela si drôle que je pâmais de rire et que ma mère s'écriait : " Arrêtez-vous, Baldi ! Cadio ne pourra plus dormir. " Et le fait est que mes nerfs étaient solides pour résister à de pareilles excitations.

" J'ai beaucoup profité de cet enseignement; à Baldi même, sur plus d'un tour, au bout de quelques mois, j'aurais rendu des points, et même...

— Je vois, mon enfant, que vous avez reçu une éducation très soignée, interrompit à ce moment Julius.

Lafcadio se mit à rire, extrêmement amusé par l'air consterné du romancier.

— Oh! rien de tout cela ne pénétra bien avant; n'ayez crainte! Mais il était temps, n'est-ce pas, que l'oncle Faby arrivât. C'est lui qui vint près de ma mère lorsque Bielkowski et Baldi furent appelés à de nouveaux postes.

— Faby? c'est lui dont j'ai vu l'écriture sur la première page de votre carnet?

— Oui. Fabian Taylor, lord Gravensdale. Il nous emmena, ma mère et moi, dans une villa qu'il avait louée près de Duino, sur l'Adriatique, où je me suis beaucoup fortifié. La côte en cet endroit formait une presqu'île rocheuse que la propriété occupait toute. Là, sous les pins, parmi les roches, au fond des criques, ou dans la mer nageant et pagayant, je vivais en sauvage tout le jour. C'est de cette époque que date la photographie que vous avez vue; que j'ai brûlée aussi.

— Il me semble, dit Julius, que, pour la circonstance, vous auriez bien pu vous présenter plus décemment.

— Précisément, je ne le pouvais pas, reprit en riant Lafcadio; sous prétexte de me bronzer, Faby gardait sous clef tous mes costumes, mon linge même...

— Et Madame votre mère, que disait-elle?

— Elle s'en amusait beaucoup; elle disait que si nos

invités se scandalisaient, ils n'avaient qu'à partir; mais cela n'empêchait de rester aucun de ceux que nous recevions.

— Pendant tout ce temps-là, votre instruction, mon pauvre enfant!...

— Oui, j'apprenais si facilement que ma mère jusqu'alors l'avait un peu négligée; j'avais seize ans bientôt; ma mère sembla s'en apercevoir brusquement et, après un merveilleux voyage en Algérie que je fis avec l'oncle Faby (ce fut là, je crois, le meilleur temps de ma vie), je fus envoyé à Paris et confié à une espèce de geôlier imperméable, qui s'occupa de mes études.

— Après cette excessive liberté, je comprends en effet que ce temps de contrainte ait pu vous paraître un peu dur.

— Je ne l'aurais jamais supporté, sans Protos. Il vivait à la même pension que moi; pour apprendre le français, disait-on; mais il le parlait à merveille, et je n'ai jamais compris ce qu'il faisait là; non plus que ce que j'y faisais moi-même. Je languissais; je n'avais pas précisément de l'amitié pour Protos, mais je me tournais vers lui comme s'il avait dû m'apporter la délivrance. Passablement plus âgé que moi, il paraissait encore plus que son âge, sans plus rien d'enfantin dans la démarche ni dans les goûts. Ses traits étaient extraordinairement expressifs, quand il voulait, et pouvaient exprimer n'importe quoi; mais, au repos, il prenait l'air d'un imbécile. Un jour que je l'en plaisantais, il me répondit que, dans ce monde, il importait de n'avoir pas trop l'air de ce qu'on était.

" Il ne se tenait point pour satisfait tant qu'il ne paraissait que modeste; il tenait à passer pour sot. Il s'amusait à dire que ce qui perd les hommes c'est de préférer la parade à l'exercice et de ne pas savoir cacher leurs dons; mais il ne disait cela qu'à moi seul. Il vivait à l'écart des autres; et même de moi, le seul de la pension qu'il ne

méprisât point. Dès que je l'amenais à parler, il devenait
d'une éloquence extraordinaire; mais, taciturne le plus
souvent, il semblait ruminer alors de noirs projets, que j'aurais voulu connaître. Quand je lui demandais : qu'est-ce
que vous faites ici? (aucun de nous ne le tutoyait) il répondait : je prends mon élan. Il prétendait que, dans la vie,
l'on se tire des pas les plus difficiles en sachant se dire à
propos : qu'à cela ne tienne! C'est ce que je me suis dit au
point de m'évader.

"Parti avec dix-huit francs, j'ai gagné Baden à petites
journées, mangeant je ne sais quoi, couchant n'importe où...
J'étais un peu défait quand j'arrivai; mais, somme toute,
content de moi, car j'avais encore trois francs dans ma
poche; il est vrai qu'en route, j'en avais récolté cinq ou six.
Je trouvai là-bas ma mère avec mon oncle de Gesvres, qui
s'amusa beaucoup de ma fugue, et résolut de me ramener
à Paris; il ne se consolait pas, disait-il, que Paris m'eût laissé
mauvais souvenir. Et le fait est que, lorsque j'y revins avec
lui, Paris m'apparut sous un jour un peu meilleur.

"Le marquis de Gesvres aimait frénétiquement la
dépense; c'était un besoin continu, une fringale; on eût
dit qu'il me savait gré de l'aider à la satisfaire et de doubler
du mien son appétit. Tout au contraire de Faby, lui m'apprit le goût du costume; je crois que je le portais assez bien;
avec lui j'étais à bonne école; son élégance était parfaitement naturelle, comme une seconde sincérité. Je m'en-
tendis très bien avec lui. Ensemble nous passions des
matinées chez les chemisiers, les bottiers, les tailleurs;
il prêtait une attention particulière aux chaussures, par
quoi se reconnaissent les gens, disait-il, aussi sûrement et
plus secrètement que le reste du vêtement et que par les
traits du visage... Il m'apprit à dépenser sans tenir de
comptes et sans m'inquiéter par avance si j'aurais de quoi

suffire à ma fantaisie, à mon désir ou à ma faim. Il émettait en principe qu'il faut toujours satisfaire celle-ci la dernière, car (je me souviens de ses paroles) désir ou fantaisie, disait-il, sont de sollicitation fugitive, tandis que la faim toujours se retrouve et n'est que plus impérieuse pour avoir attendu plus longtemps. Il m'apprit enfin à ne pas jouir d'une chose davantage, selon qu'elle coûtait plus cher, ni moins si, par chance, elle n'avait coûté rien du tout.

" J'en étais là quand je perdis ma mère. Un télégramme me rappela brusquement à Bucharest; je ne la pus revoir que morte : j'appris là-bas que, depuis le départ du marquis, elle avait fait beaucoup de dettes que sa fortune suffisait tout juste à payer, de sorte que je n'avais à espérer pas un copeck, pas un pfennig, pas un groschen. Aussitôt après la cérémonie funèbre, je regagnai Paris où je pensais retrouver l'oncle de Gesvres; mais il était parti brusquement pour la Russie, sans laisser d'adresse.

" Je n'ai point à vous dire toutes les réflexions que je fis. Parbleu, j'avais certaines habiletés dans mon sac, moyennant quoi l'on se tire toujours d'affaire; mais plus j'en aurais eu besoin, plus il me répugnait d'y recourir. Heureusement, certaine nuit que je battais le trottoir, un peu perplexe, j'y retrouvai cette Carola Venitequa que vous avez vue, l'ex-maîtresse à Protos, qui m'hospitalisa décemment. A quelques jours de là je fus averti qu'une maigre pension, assez mystérieusement, me serait versée tous les premiers du mois chez un notaire; j'ai l'horreur des éclaircissements et touchai sans chercher plus avant. Puis vous êtes venu... Vous savez à présent à peu près tout ce qu'il me plaisait de vous dire.

— Il est heureux, dit solennellement Julius, il est heureux, Lafcadio, qu'il vous revienne aujourd'hui quelque argent : sans métier, sans instruction, condamné à vivre d'expédients... tel que je vous connais à présent, vous étiez prêt à tout.

— Prêt à rien, au contraire, reprit Lafcadio en regardant Julius gravement. Malgré tout ce que je vous ai dit, je vois que vous me connaissez mal encore. Rien ne m'empêche autant que le besoin; je n'ai jamais recherché que ce qui ne peut pas me servir.

— Les paradoxes, par exemple. Et vous croyez cela nourrissant?

— Cela dépend des estomacs. Il vous plaît d'appeler paradoxes ce qui rebute au vôtre... Pour moi je me laisserais mourir de faim devant ce ragoût de logique dont j'ai vu que vous alimentez vos personnages.

— Permettez...

— Du moins le héros de votre dernier livre. Est-ce vrai que vous y avez peint votre père? Le souci de le maintenir, partout, toujours, conséquent avec vous et avec soi-même, fidèle à ses devoirs, à ses principes, c'est-à-dire à vos théories... vous jugez ce que, moi précisément, j'en puis dire!... Monsieur de Baraglioul, acceptez ceci qui est vrai : je suis un être d'inconséquence. Et voyez combien je viens de parler! moi, qui hier encore, me considérais comme le plus silencieux, le plus fermé, le plus retrait des êtres. Mais il était bon que nous fissions promptement connaissance; et qu'il n'y ait plus lieu d'y revenir. Demain, ce soir, je rentrerai dans mon secret.

Le romancier, que ces propos désarçonnaient, fit effort pour se remettre en selle :

— Persuadez-vous d'abord qu'il n'y a pas d'inconséquence, non plus en psychologie qu'en physique, commença-t-il. Vous êtes un être en formation et...

Des coups frappés à la porte l'interrompirent. Mais, comme personne ne se montrait, ce fut Julius qui sortit.

Par la porte qu'il laissait ouverte, un bruit de voix confus parvenait jusqu'à Lafcadio. Puis il y eut un grand silence. Lafcadio, après dix minutes d'attente, déjà se disposait à partir, quand un domestique en livrée vint à lui :

— Monsieur le comte fait dire à Monsieur le secrétaire qu'il ne le retient plus. Monsieur le comte a reçu à l'instant de mauvaises nouvelles de Monsieur son père et s'excuse de ne pouvoir prendre congé de Monsieur.

Au ton dont tout cela était dit, Lafcadio se douta bien qu'on venait d'annoncer que le vieux comte était mort. Il maîtrisa son émotion.

— Allons! se disait-il en regagnant l'impasse Claude-Bernard, le moment est venu. *It is time to launch the ship.* D'où que vienne le vent désormais, celui qui soufflera sera le bon. Puisque je ne puis être tout près du vieux, apprêtons-nous à nous éloigner de lui davantage.

En passant devant la loge il remit au portier de l'hôtel la petite boîte qu'il portait sur lui depuis la veille.

— Vous remettrez ce paquet à Mlle Venitequa, ce soir, quand elle rentrera, dit-il. Et veuillez préparer ma note.

Une heure après, sa malle faite, il envoyait chercher un fiacre. Il partit sans donner d'adresse. Celle de son notaire suffisait.

LIVRE TROISIÈME

AMÉDÉE FLEURISSOIRE

I

La comtesse Guy de Saint-Prix, sœur puînée de Julius, que la mort du comte Juste-Agénor avait brusquement appelée à Paris, n'était pas depuis longtemps de retour dans le coquet château de Pezac, à quatre kilomètres de Pau, que depuis son veuvage elle ne quittait guère, et moins encore depuis le mariage et l'établissement de ses enfants — lorsqu'elle y reçut une visite singulière.

Elle rentrait d'une de ces promenades matinales qu'elle avait accoutumé de faire dans un léger dog-car conduit par elle-même; on vint l'avertir qu'un capucin l'attendait depuis une heure dans le salon. L'inconnu se recommandait du cardinal André, ainsi que l'attestait la carte de celui-ci qu'on remit à la comtesse; la carte était sous enveloppe; on y lisait, au-dessous du nom du cardinal, de sa fine et presque féminine écriture, ces mots :

Recommande à la toute spéciale attention de la comtesse de Saint-Prix, l'abbé J.-P. Salus, chanoine de Virmontal.

C'était tout; et cela suffisait; la comtesse recevait volontiers les gens d'Église; de plus, le cardinal André tenait

l'âme de la comtesse en sa main. Elle ne fit qu'un bond
jusqu'au salon et s'excusa de s'être fait attendre.

Le chanoine de Virmontal était bel homme; sur son
noble visage éclatait une mâle énergie qui jurait (si j'ose
dire) étrangement avec l'hésitante précaution de ses gestes
et de sa voix, comme étonnaient ses cheveux presque
blancs, près de la carnation jeune et fraîche de son visage.

Malgré l'affabilité de la comtesse, la conversation s'enga-
geait mal et traînait en phrases de convenance sur le deuil
récent de la comtesse, la santé du cardinal André, le nouvel
échec de Julius à l'Académie. Cependant la voix de l'abbé
se faisait de plus en plus lente et sourde, et l'expression de
son visage désolée. Il se levait enfin, mais au lieu de prendre
congé :

— J'aurais voulu, Madame la comtesse, et de la part
du cardinal, vous entretenir d'un sujet grave. Mais la
pièce est sonore; le nombre des portes m'effraie; je crains
qu'on nous puisse entendre.

La comtesse adorait confidences et simagrées; elle fit
entrer le chanoine dans un boudoir étroit auquel on n'accédait que par le salon, ferma la porte :

— Ici nous sommes à l'abri, dit-elle. Parlez sans crainte.

Mais au lieu de parler, l'abbé qui, en face de la comtesse
avait pris place sur un petit fauteuil bas, tira un foulard
de sa poche et y étouffa des sanglots convulsifs. Perplexe,
la comtesse atteignit sur un guéridon près d'elle un panier
à ouvrage, chercha dans le panier un flacon de sels, hésita
à l'offrir à son hôte, et prit enfin le parti de le respirer
elle-même.

— Excusez-moi, dit enfin l'abbé, sortant du foulard
une face congestionnée. Je vous sais trop bonne catholique,
Madame la comtesse, pour ne pas bientôt me comprendre
et partager mon émotion.

La comtesse avait horreur des effusions; elle réfugia sa bienséance derrière un face-à-main. L'abbé se ressaisit aussitôt, et rapprochant un peu son fauteuil :

— Il m'a fallu, Madame la comtesse, la solennelle assurance du cardinal pour me décider à venir vous parler; oui, l'assurance qu'il m'a donnée que votre foi n'était point de ces fois mondaines, simples revêtements de l'indifférence...

— Venons au fait, Monsieur l'abbé.

— Le cardinal m'a donc assuré que je pouvais avoir en votre discrétion une confiance parfaite; une discrétion de confesseur, si j'ose ainsi dire...

— Mais, Monsieur l'abbé, pardonnez-moi : s'il s'agit d'un secret dont le cardinal soit averti, d'un secret d'une telle gravité, comment ne m'en a-t-il pas parlé lui-même?

Le seul sourire de l'abbé eût déjà fait comprendre à la comtesse l'incongruité de sa question.

— Une lettre! Mais, Madame, à la poste, de nos jours, toutes les lettres des cardinaux sont ouvertes.

— Il pouvait vous confier cette lettre.

— Oui, Madame; mais qui sait ce que peut devenir un papier? Nous sommes tellement surveillés. Il y a plus : le cardinal préfère ignorer ce que je m'apprête à vous dire, n'y être pour rien... Ah! Madame, au dernier moment mon courage m'abandonne et je ne sais si...

— Monsieur l'abbé, vous ne me connaissez pas, et je ne puis donc m'offenser si votre confiance en moi n'est pas plus grande, dit tout doucement la comtesse en détournant la tête et laissant retomber son face-à-main. J'ai pour les secrets que l'on me confie le plus grand respect. Dieu sait si j'ai jamais trahi le moindre. Mais jamais il ne m'est arrivé de solliciter une confidence...

Elle fit un léger mouvement comme pour se lever, l'abbé étendit le bras vers elle.

— Vous m'excuserez, Madame, en daignant considérer que vous êtes la première femme, la première, j'ai dit, qui ait été jugée digne, par ceux qui m'ont confié l'effrayante mission de vous avertir, digne de recevoir et de conserver par-devers elle ce secret. Et je m'effraie, je l'avoue, à sentir cette révélation bien pesante, bien encombrante, pour l'intelligence d'une femme.

— On se fait de grandes illusions sur le peu de capacité de l'intelligence des femmes, dit presque sèchement la comtesse; puis, les mains un peu soulevées, elle cacha sa curiosité sous un air absent, propre à accueillir une importante confidence de l'Église. L'abbé rapprocha de nouveau son fauteuil.

Mais le secret que l'abbé Salus s'apprêtait à confier à la comtesse m'apparaît encore aujourd'hui trop déconcertant, trop bizarre, pour que j'ose le rapporter ici sans plus ample précaution :

Il y a le roman, et il y a l'histoire. D'avisés critiques ont considéré le roman comme de l'histoire qui aurait pu être, l'histoire comme un roman qui avait eu lieu. Il faut bien reconnaître, en effet, que l'art du romancier souvent emporte la créance, comme l'événement parfois la défie. Hélas! certains sceptiques esprits nient le fait dès qu'il tranche sur l'ordinaire. Ce n'est pas pour eux que j'écris.

Que le représentant de Dieu sur terre ait pu être enlevé du Saint-Siège, et, par l'opération du Quirinal, volé en quelque sorte à la chrétienté entière — c'est un problème très épineux que je n'ai point la témérité de soulever. Mais il est de fait *historique* que, vers la fin de l'année 1893, le bruit en courut; il est patent que nombre d'âmes dévotes

s'en émurent. Quelques journaux en parlèrent craintivement; on les fit taire. Une brochure sur ce sujet parut à
Saint-Malo[1]; qu'on fit saisir. C'est que, non plus le parti
franc-maçon ne tenait à ce que s'ébruitât le récit d'une si
abominable forfaiture, que le parti catholique n'osait
appuyer ou ne se résignait à couvrir les collectes extraor-
dinaires qu'on entreprit aussitôt à ce sujet. Et sans doute
nombre d'âmes pieuses se saignèrent (on estime à près d'un
demi-million les sommes recueillies ou dispersées à cette
occasion), mais il restait douteux si tous ceux qui rece-
vaient les fonds étaient de vrais dévots, ou parfois des
escrocs peut-être. Toujours est-il qu'il fallait pour mener
à bien cette quête, à défaut de religieuse conviction, une
audace, une habileté, un tact, une éloquence, une connaissance des êtres et des faits, une santé, que seuls pouvaient
se piquer d'avoir quelques gaillards tels que Protos, l'ancien
copain de Lafcadio. J'avertis honnêtement le lecteur :
c'est lui qui se présente aujourd'hui sous l'aspect et le nom
emprunté du chanoine de Virmontal.

La comtesse, résolue à n'ouvrir plus les lèvres, à ne plus
changer d'attitude, ni même d'expression avant complet
épuisement du secret, écoutait imperturbablement le faux
prêtre dont peu à peu l'assurance s'affermissait. Il s'était
levé et marchait à grands pas. Pour meilleure préparation,
il reprenait l'affaire, sinon précisément à ses débuts (le
conflit entre la Loge et l'Église, essentiel, n'avait-il pas
toujours existé?), du moins remontait-il à certains faits où
s'était déclarée l'hostilité flagrante. Il avait d'abord invité
la comtesse à se souvenir des deux lettres adressées par le

---

1. *Compte rendu de la Délivrance de Sa Sainteté Léon XIII emprisonné
dans les cachots du Vatican* (Saint-Malo, imprimerie Y. Billois, rue de
l'Orme, 4), 1893.

pape en décembre 92, l'une au peuple italien, l'autre plus
spécialement aux évêques, prémunissant les catholiques
contre les agissements des francs-maçons; puis, comme la
mémoire faisait défaut à la comtesse, il avait dû remonter
en arrière, rappeler l'érection de la statue de Giordano
Bruno, décidée, présidée par Crispi derrière qui jusqu'alors
s'était dissimulée la Loge. Il avait dit Crispi outré de ce
que le pape eût repoussé ses avances, eût refusé de négocier
avec lui (et par : négocier, ne fallait-il pas entendre : entrer
en composition, se soumettre!). Il avait retracé cette journée
tragique : les camps prenant position; les francs-maçons
enfin levant le masque, et — tandis que le corps diploma-
tique accrédité près du Saint-Siège se rendait au Vatican,
manifestant par cet acte, en même temps que son mépris
pour Crispi, sa vénération pour notre Saint-Père ulcéré —
la Loge, enseignes déployées, sur la place *Campo dei Fiori*
où se dressait la provocante idole, acclamant l'illustre
blasphémateur.

— Au consistoire qui suivit bientôt après, le 30 juin 1889,
continua-t-il (toujours debout, il s'appuyait à présent sur
le guéridon, les deux bras en avant, penché vers la comtesse),
Léon XIII laissa s'élever son indignation véhémente. Sa
protestation fut entendue de la terre entière; et toute la
chrétienté trembla en l'entendant parler de quitter Rome!
Quitter Rome j'ai dit!... Tout ceci, Madame la comtesse,
vous le savez déjà, vous en avez souffert et vous en souvenez comme moi.

Il reprit sa marche :

— Enfin Crispi fut déchu du pouvoir. L'Église allait-
elle respirer? En décembre 1892 le pape écrivait donc ces
deux lettres. Madame...

Il se rassit, approcha brusquement son fauteuil du canapé
et saisissant le bras de la comtesse :

— Un mois après le pape était emprisonné.

La comtesse s'obstinant à demeurer coite, le chanoine
lâcha son bras, reprit sur un ton plus posé :

— Je ne chercherai pas, Madame, à vous apitoyer sur
les souffrances d'un captif; le cœur des femmes est toujours
prompt à s'émouvoir au spectacle des infortunes. Je m'a-
dresse à votre intelligence, comtesse, et vous invite à
considérer le désarroi où, chrétiens, la disparition de notre
chef spirituel nous a plongés.

Un léger pli se marqua sur le front pâle de la comtesse.

— Plus de pape est affreux, Madame. Mais, qu'à cela
ne tienne : un faux pape est plus affreux encore. Car pour
dissimuler son crime, que dis-je? pour inviter l'Église à se
démanteler et à se livrer elle-même, la Loge a installé sur
le trône pontifical, en place de Léon XIII, je ne sais quel
suppôt du Quirinal, quel mannequin, à l'image de leur
sainte victime, quel imposteur, auquel, par crainte de nuire
au vrai, il nous faut feindre de nous soumettre, devant
lequel, enfin, ô honte! au jubilé s'est incliné la toute entière
chrétienté.

A ces mots le mouchoir qu'il tordait dans ses mains se
déchira.

— Le premier acte du faux pape fut cette encyclique
trop fameuse, l'encyclique à la France, dont le cœur de
tout Français digne de ce nom saigne encore. Oui, oui, je
sais, Madame, combien votre grand cœur de comtesse a
souffert d'entendre la Sainte Église renier la sainte cause de
la royauté; le Vatican, j'ai dit, applaudir à la République.
Hélas! rassurez-vous, Madame! vous vous étonniez à
bon droit. Rassurez-vous, Madame la comtesse! mais
songez à ce que le Saint-Père captif a souffert, entendant ce
suppôt imposteur le proclamer républicain!

Puis, se rejetant en arrière, avec un rire sanglotant :

— Et qu'avez-vous pensé, comtesse de Saint-Prix, et qu'avez-vous pensé, comme corollaire à cette cruelle encyclique, de l'audience accordée par notre Saint-Père au rédacteur du *Petit Journal?* Du *Petit Journal*, Madame la comtesse, ah! fi donc! Léon XIII au *Petit Journal!* Vous sentez bien que c'est impossible. Votre noble cœur vous a déjà crié que c'est faux!

— Mais, s'écria la comtesse, n'y pouvant plus tenir, c'est ce qu'il faut crier à toute la terre.

— Non, Madame! c'est ce qu'il faut taire! tonitrua l'abbé, formidable; c'est ce qu'il faut taire d'abord; c'est ce que nous devons taire pour agir.

Puis s'excusant, d'une voix subitement éplorée :

— Vous voyez que je vous parle comme à un homme.

— Vous avez raison, Monsieur l'abbé. Agir, disiez-vous. Vite : qu'avez-vous résolu?

— Ah! je savais trouver chez vous cette noble impatience virile, digne du sang des Baraglioul. Mais rien n'est davantage à craindre, en l'occurrence, hélas! qu'un zèle intempestif. De ces abominables forfaits, si quelques élus aujourd'hui sont avertis, il nous est indispensable, Madame, de compter sur leur discrétion parfaite, sur leur pleine et entière soumission à l'indication qui leur sera donnée en temps opportun. Agir sans nous, c'est agir contre nous. Et, en plus de la désapprobation ecclésiastique qui pourra entraîner... qu'à cela ne tienne : l'excommunication, toute initiative individuelle se heurtera aux démentis catégoriques et formels de notre parti. Il s'agit ici, Madame, d'une croisade; oui, mais d'une croisade cachée. Excusez-moi d'insister sur ce point, mais je suis chargé tout spécialement de vous en avertir par le cardinal, qui veut tout ignorer de cette histoire et qui ne comprendra même pas ce dont il est question si on lui en parle. Le cardinal ne veut pas m'avoir

vu ; et de même, plus tard, si les événements nous remettent
en rapport, qu'il soit bien convenu que, vous et moi, nous
ne nous sommes jamais parlé. Notre Saint-Père saura
bientôt reconnaître ses vrais serviteurs.

Un peu déçue la comtesse argua timidement :

— Mais alors?

— On agit, Madame la comtesse ; on agit, n'ayez crainte.
Et je suis même autorisé à vous révéler une partie de notre
plan de campagne.

Il se carra dans son fauteuil, bien en face de la comtesse ;
celle-ci, maintenant, avait levé ses mains à son visage, et
restait, le buste en avant, les coudes aux genoux, le menton
dans les paumes.

Il commença de raconter que le pape n'était pas enfermé
dans le Vatican, mais vraisemblablement dans le Château
Saint-Ange, qui, comme le savait certainement la comtesse,
communiquait avec le Vatican par un corridor souterrain ;
qu'il ne serait sans doute point trop malaisé de l'enlever de
cette geôle, n'était la crainte quasi superstitieuse que chacun
des serviteurs gardait en face de la franc-maçonnerie, bien
que de cœur avec l'Église. Et c'était là-dessus que comptait
la Loge ; l'exemple du Saint-Père séquestré maintenait les
âmes dans la terreur. Aucun des serviteurs ne consentait
à prêter son concours qu'après qu'on l'avait mis à même
de s'en aller au loin vivre à l'abri des persécuteurs. D'importantes sommes avaient été consenties à cet usage par
des personnes dévotes et de discrétion reconnue. Il ne
restait plus à lever qu'un seul obstacle, mais qui réclamait
plus que tous les autres réunis. Car cet obstacle était un
prince, geôlier en chef de Léon XIII.

— Vous souvient-il, Madame la comtesse, de quel
mystère reste enveloppée la double mort de l'archiduc

Rodolphe, prince héritier d'Autriche-Hongrie, et de sa jeune épouse, trouvée râlante à ses côtés — Maria Wettsyera, la nièce de la princesse Grazioli, qu'il venait d'épouser...? Suicide, a-t-on dit! Le pistolet n'était là que pour donner le change à l'opinion publique : la vérité c'est qu'ils étaient tous deux empoisonnés. Éperdument amoureux, hélas! de Maria Wettsyera, un cousin du grand-duc son mari, grand-duc lui-même, n'avait point supporté de la voir à un autre... Après cet abominable forfait, Jean-Salvator de Lorraine, fils de Marie-Antoinette, grande-duchesse de Toscane, quittait la cour de son parent, l'empereur François-Joseph. Se sachant découvert à Vienne, il allait se dénoncer au pape, l'implorer, le fléchir. Il obtint le pardon. Mais sous prétexte de pénitence, Monaco — le cardinal Monaco La Valette — l'enferma dans le Château Saint-Ange où il gémit depuis trois ans.

Le chanoine avait débité tout cela d'une voix à peu près égale; il prit un temps, puis, avec un petit appel du pied :

— C'est lui que Monaco a établi geôlier en chef de Léon XIII.

— Eh quoi! le cardinal! s'écria la comtesse; un cardinal peut-il donc être franc-maçon?

— Hélas! dit le chanoine pensivement, la Loge a fortement entamé l'Église. Vous pensez bien, Madame la comtesse, que si l'Église avait mieux su se défendre elle-même, rien de tout cela ne serait arrivé. La Loge n'a pu se saisir de la personne de Notre Saint-Père qu'avec la connivence de quelques compagnons très haut placés.

— Mais c'est affreux!

— Que vous dire de plus, Madame la comtesse? Jean-Salvador croyait être prisonnier de l'Église, quand il l'était des francs-maçons. Il ne consent à travailler aujourd'hui à l'élargissement de notre Saint-Père que si on lui

permet du même coup de s'enfuir lui-même; et il ne peut
s'enfuir que très loin, dans un pays d'où l'extradition n'est
pas possible. Il exige deux cent mille francs.

A ces mots Valentine de Saint-Prix, qui depuis quelques
instants reculait et laissait retomber ses bras, rejetant la
tête en arrière, poussa un faible gémissement et perdit
connaissance. Le chanoine s'élança :

— Rassurez-vous, Madame la comtesse — il lui tapait
dans les mains : — Qu'à cela ne tienne! — il lui portait le
flacon de sels aux narines : — Sur ces deux cent mille francs,
nous en avons déjà cent quarante — et comme la comtesse
ouvrait un œil : — La duchesse de Lectoure n'en a consenti
que cinquante; il en reste soixante à verser.

— Vous les aurez, murmura presque indistinctement la
comtesse.

— Comtesse, l'Église ne doutait pas de vous.

Il se leva, très grave, presque solennel, prit un temps,
puis :

— Comtesse de Saint-Prix, dit-il, j'ai dans votre géné-
reuse parole la confiance la plus entière; mais songez aux
difficultés sans nom qui vont accompagner, gêner, empêcher peut-être la remise de cette somme; somme, j'ai dit,
que vous-même devrez oublier de m'avoir donnée, que
moi-même je dois être prêt à nier d'avoir touchée, pour
laquelle il ne me sera même point permis de vous faire
tenir un reçu... Je ne puis guère prudemment la recevoir
que de la main à la main, de votre main à la mienne. Nous
sommes surveillés. Ma présence au château peut être
commentée. Sommes-nous jamais sûrs du domestique?
Songez à l'élection du comte de Baraglioul; il ne faut point
que je revienne ici.

Et comme après ces mots il restait là, planté sur le
parquet sans plus bouger ni parler, la comtesse comprit :

— Mais, Monsieur l'abbé, vous pensez bien pourtant que je n'ai pas sur moi cette somme énorme. Et même...

L'abbé s'impatientait légèrement; elle n'osa donc pas ajouter qu'il lui faudrait sans doute quelque temps pour la réunir (car elle espérait bien n'avoir pas à débourser toute seule). Elle murmurait :

— Comment faire?...

Puis comme le sourcil du chanoine menaçait de plus en plus :

— J'ai bien là-haut quelques bijoux...

— Ah! fi, Madame! les bijoux sont des souvenirs. Me voyez-vous faisant métier de brocanteur? Et pensez-vous que je veuille donner l'éveil en en cherchant le meilleur prix? Je risquerais de compromettre du même coup et vous-même et notre entreprise.

Sa voix grave, insensiblement se faisait âpre et violente. Celle de la comtesse tremblait légèrement.

— Attendez un instant, Monsieur le chanoine : je vais voir ce que j'ai dans mes tiroirs.

... Elle redescendit bientôt. Sa main crispée froissait des billets bleus.

— Heureusement, je viens de toucher des fermages. Je puis vous remettre déjà six mille cinq cents francs.

Le chanoine eut un haussement d'épaules.

— Qu'est-ce que vous voulez que je fasse avec ça?

Et avec un mépris attristé, d'un geste noble, il écartait de lui la comtesse :

— Non, Madame, non; je ne prendrai pas ces billets. Je ne les prendrai qu'avec les autres. Les gens intègres exigent l'intégralité. Quand pourrez-vous me remettre toute la somme?

— Combien de temps me laissez-vous?... Huit jours...? demanda la comtesse qui songeait à collecter.

— Comtesse de Saint-Prix, l'Église se serait-elle méprise? Huit jours! Je ne dirai qu'un mot:

LE PAPE ATTEND.

Puis levant les bras au ciel:

— Quoi! vous avez l'insigne honneur de tenir entre vos mains sa délivrance, et vous tardez! Craignez, Madame, craignez que le Seigneur, au jour de votre délivrance à vous, ne fasse également attendre et languir votre âme insuffisante, au seuil du Paradis!

Il devenait menaçant, terrible; puis, brusquement, porta à ses lèvres le crucifix d'un chapelet et s'absenta dans une rapide prière.

— Mais le temps que j'écrive à Paris? gémit la comtesse éperdue.

— Télégraphiez! Que votre banquier verse les soixante mille francs au Crédit Foncier de Paris, qui télégraphiera au Crédit Foncier de Pau d'avoir à vous verser incontinent la somme. C'est enfantin.

— J'ai de l'argent à Pau, en dépôt, hasarda-t-elle.

— Chez un banquier?

— Au Crédit Foncier, précisément.

Alors il s'indigna tout à fait.

— Ah! Madame, pourquoi vous faut-il ce détour pour me l'apprendre? Est-ce là l'empressement que vous marquez? Que diriez-vous à présent si je repoussais votre concours?...

Puis, marchant à travers la pièce, les mains croisées derrière le dos, et comme indisposé désormais contre tout ce qu'il pourrait entendre:

— Il y a là plus que de la tiédeur (et il faisait avec la langue de petits claquements propres à manifester son dégoût) et presque de la duplicité.

— Monsieur l'abbé, je vous en supplie...

Durant quelques instants l'abbé continua sa marche, les sourcils bas, inflexible. Puis enfin :

— Vous connaissez, je le sais, l'abbé Boudin, avec qui je déjeune ce matin même (il tira sa montre)... et que je vais mettre en retard. Écrivez un chèque à son nom; il touchera pour moi les soixante billets, qu'il pourra tout aussitôt me remettre. Quand vous le reverrez, dites-lui simplement que c'était " pour la chapelle expiatoire "; c'est un homme discret, qui sait vivre et qui n'insistera pas. Eh bien! qu'attendez-vous encore?

La comtesse, prostrée sur le canapé, se souleva, se traîna vers un petit secrétaire qu'elle ouvrit, sortit un carnet oblong, vert olive, dont elle couvrit une feuille de son écriture allongée.

— Excusez-moi de vous avoir un peu brusquée tout à l'heure, Madame la comtesse, dit l'abbé d'une voix adoucie et prenant le chèque qu'elle lui tendait. — Mais de tels intérêts sont en jeu!

Puis glissant le chèque dans une poche intérieure :

— Il serait impie de vous remercier, n'est-ce pas? fût-ce au nom de Celui entre les mains de qui je ne suis qu'un instrument très indigne.

Il eut un bref sanglot qu'il étouffa dans son foulard; mais, se ressaisissant aussitôt, avec un coup de talon rétif, il murmura rapidement une phrase dans une langue étrangère.

— Vous êtes Italien? demanda la comtesse.

— Espagnol! La sincérité de mes sentiments le trahit.

— Pas votre accent. Vraiment vous parlez le français avec une pureté...

— Vous êtes trop aimable, Madame la comtesse, excusez-moi de vous quitter abruptement. Grâce à notre petite

combinaison, je vais pouvoir gagner Narbonne ce soir
même, où l'archevêque m'attend avec une grande impatience. Adieu!

Il avait pris les mains de la comtesse dans les siennes et la
regardait fixement, le buste reculé :

— Adieu, comtesse de Saint-Prix — puis un doigt sur
ses lèvres : — Et souvenez-vous qu'un mot de vous peut
tout perdre.

Il n'était pas plus tôt sorti que la comtesse courait à son
cordon de sonnette.

— Amélie, dites à Pierre qu'il ait à tenir la calèche
toute prête, sitôt après le déjeuner, pour aller en ville.
Ah! un instant encore... Que Germain enfourche sa bicy-
clette et porte immédiatement à Mme Fleurissoire le mot
que je vais vous donner.

Et, penchée sur le secrétaire qu'elle n'avait point refermé,
elle écrivit :

Chère Madame,

*Je passerai vous voir tantôt. Attendez-moi vers deux heures.
J'ai quelque chose de très grave à vous dire. Arrangez-vous de
manière que nous soyons seules.*

Elle signa, cacheta, puis tendit l'enveloppe à Amélie.

II

Mme Amédée Fleurissoire, née Péterat, sœur cadette de
Véronique Armand-Dubois et de Marguerite de Bara-
glioul, répondait au nom baroque d'Arnica. Philibert
Péterat, botaniste assez célèbre, sous le Second Empire,

par ses malheurs conjugaux, avait, dès sa jeunesse, promis des noms de fleurs aux enfants qu'il pourrait avoir. Certains amis trouvèrent un peu particulier le nom de Véronique dont il baptisa le premier; mais, lorsqu'au nom de Marguerite, il entendit insinuer qu'il en rabattait, cédait à l'opinion, rejoignait le banal, il résolut, brusquement rebiffé, de gratifier son troisième produit d'un nom si délibérément botanique qu'il fermerait le bec à tous les médisants.

Peu après la naissance d'Arnica, Philibert, dont le caractère s'était aigri, se sépara d'avec sa femme, quitta la capitale et s'alla fixer à Pau. L'épouse s'attardait à Paris l'hiver, mais aux premiers beaux jours regagnait Tarbes, sa ville natale, où elle recevait ses deux aînées dans une vieille maison de famille.

Véronique et Marguerite mi-partissaient l'année entre Tarbes et Pau. Quant à la petite Arnica, méconsidérée par ses sœurs et par sa mère, un peu niaise, il est vrai, et plus touchante que jolie, elle demeurait, été comme hiver, près du père.

La plus grande joie de l'enfant était d'aller herboriser avec son père dans la campagne; mais souvent le maniaque, cédant à son humeur chagrine, la plantait là, partait tout seul pour une énorme randonnée, rentrait fourbu, et sitôt après le repas, se fourrait au lit sans faire à sa fille l'aumône d'un sourire ou d'un mot. Il jouait de la flûte à ses heures de poésie, rabâchant insatiablement les mêmes airs. Le reste du temps il dessinait de minutieux portraits de fleurs.

Une vieille bonne, surnommée Réséda, qui s'occupait de la cuisine et du ménage, avait la garde de l'enfant; elle lui enseigna le peu qu'elle connaissait elle-même. A ce régime, Arnica savait à peine lire à dix ans. Le respect humain avertit enfin Philibert : Arnica entra en pension chez Mme Veuve Semène qui inculquait des rudiments à une douzaine de fillettes et à quelques très jeunes garçons.

Arnica Péterat, sans défiance et sans défense, n'avait jamais imaginé jusqu'à ce jour que son nom pût porter à rire. Elle eut, le jour de son entrée dans la pension, la brusque révélation de son ridicule; le flot de moqueries la courba comme une algue lente; elle rougit, pâlit, pleura; et Mme Semène, en punissant d'un coup toute la classe pour tenue indécente, eut l'art maladroit de charger aussitôt d'animosité un esclaffement d'abord sans malveillance.

Longue, flasque, anémique, hébétée, Arnica restait les bras ballants au milieu de la petite classe, et quand Mme Semène indiqua :

— Sur le troisième banc de gauche, mademoiselle Péterat, — la classe repartit de plus belle en dépit des admonestations.

Pauvre Arnica! la vie n'apparaissait déjà plus devant elle que comme une morne avenue bordée de quolibets et d'avanies. Mme Semène, heureusement, ne resta pas insensible à sa détresse, et bientôt la petite put trouver dans le giron de la veuve un abri.

Volontiers Arnica s'attardait à la pension après les classes plutôt que de ne point trouver son père au foyer; Mme Semène avait une fille, de sept ans plus âgée qu'Arnica, un peu bossue, mais obligeante; dans l'espoir de lui décrocher un mari, Mme Semène recevait le dimanche soir, et même organisait deux fois l'an de petites matinées dominicales, avec récitations et sauterie; y venaient, par reconnaissance, quelques-unes de ses anciennes élèves escortées de leurs parents, et par désœuvrement, quelques adolescents dépourvus et sans avenir. Arnica fut de toutes ces réunions; fleur sans éclat, discrète, jusqu'à l'effacement, mais qui pourtant, ne devait pas rester inaperçue.

Lorsque, à quatorze ans, Arnica perdit son père,

Mme Semène recueillit l'orpheline, que ses sœurs, passablement plus âgées, ne vinrent plus voir que rarement. C'est au cours d'une de ces courtes visites, pourtant, que Marguerite rencontra pour la première fois celui qui, deux ans plus tard, devait devenir son mari : Julius de Baraglioul, alors âgé de vingt-huit ans — en villégiature chez son grand-père Robert de Baraglioul qui, comme nous l'avons dit précédemment, était venu s'établir aux environs de Pau, peu après l'annexion du duché de Parme à la France.

Le brillant mariage de Marguerite (au demeurant ces demoiselles Péterat n'étaient pas absolument sans fortune) faisait, aux yeux éblouis d'Arnica sa sœur encore plus distante; elle se doutait que jamais, penché sur elle, un comte, un Julius, ne viendrait respirer son parfum. Elle enviait sa sœur enfin d'avoir pu s'évader de ce nom désobligeant : Péterat. Le nom de *Marguerite* était charmant. Qu'il sonnait bien avec *de Baraglioul!* Hélas! avec quel autre nom marié, celui d'*Arnica* ne resterait-il pas ridicule?

Rebutée par le positif, son âme inéclose et froissée essayait de la poésie. Elle portait, à seize ans, des deux côtés de son blême visage, ces tombantes boucles que l'on nommait des " repentirs ", et ses yeux bleus rêveurs s'étonnaient près de ses cheveux noirs. Sa voix sans timbre n'était point rude; elle lisait des vers et s'évertuait à en écrire. Elle tenait pour poétique tout ce qui l'échappait de la vie.

Aux soirées de Mme Semène, deux jeunes gens fréquentaient, qu'une tendre amitié avait comme associés dès l'enfance; l'un, déjeté sans être grand, non tant maigre qu'efflanqué, aux cheveux plus déteints que blonds, au nez fier, au regard timide : c'était Amédée Fleurissoire. L'autre, gras et courtaud, aux durs cheveux noirs plantés bas, portait, par étrange habitude, la tête constamment inclinée sur l'épaule gauche, la bouche ouverte et la main droite en avant tendue : j'ai dépeint Gaston Blafaphas. Le père d'Amédée était marbrier, entrepreneur de monuments funéraires et marchand de couronnes mortuaires; Gaston était le fils d'un important pharmacien.

(Pour étrange que cela puisse paraître, ce nom de Blafaphas est très répandu dans les villages des contreforts pyrénéens; encore qu'écrit parfois de manières assez différentes. C'est ainsi que dans le seul bourg de Sta... où l'appelait un examen, celui qui écrit ces lignes a pu voir un Blaphaphas, notaire, un Blafafaz coiffeur, un Blaphaface charcutier, qui, interrogés, ne se reconnaissaient aucune origine commune et dont chacun considérait avec un certain mépris le nom au graphisme inélégant des deux autres. — Mais ces remarques philologiques ne sauraient intéresser qu'une classe assez restreinte de lecteurs.)

Qu'eussent été Fleurissoire et Blafaphas l'un sans l'autre? On a peine à l'imaginer. Dans les récréations du lycée, on les voyait toujours ensemble; brimés sans cesse, se consolant, se prêtant patience, renfort. On les nommait *les Blafafoires*. Leur amitié semblait à chacun l'arche unique, l'oasis dans l'impitoyable désert de la vie. L'un ne goûtait pas une joie qu'il ne la voulût aussitôt partagée; ou, pour mieux dire, rien n'était joie pour l'un que ce qu'il goûtait avec l'autre.

Médiocres élèves, malgré leur désarmante assiduité, et foncièrement réfractaires à toute espèce de culture, les Blafafoires seraient restés toujours les derniers de leur classe, sans l'assistance d'Eudoxe Lévichon qui, moyennant de petites redevances, corrigeait, faisait même leurs devoirs. Ce Lévichon était le fils cadet d'un des principaux bijoutiers de la ville. (Vingt ans auparavant, peu de temps après son mariage avec la fille unique du bijoutier Cohen, — au moment où, par suite de la prospérité de ses affaires, il quittait le bas quartier de la ville pour aller s'établir **non** loin du casino, — le bijoutier Albert Lévy avait jugé désirable de réunir et d'agglutiner les deux noms, comme il réunissait les deux maisons.)

Blafaphas était endurant, mais Fleurissoire de complexion délicate. Aux approches de la puberté le facies de Gaston s'obombra, on eût dit que la sève allait empoiler tout son corps; cependant l'épiderme plus susceptible d'Amédée se rebiffait, s'enflammait, boutonnait, comme si le poil eût fait des façons pour sortir. Blafaphas père conseilla des dépuratifs, et chaque lundi Gaston apportait dans sa serviette une fiole de sirop antiscorbutique qu'il remettait en cachette à son ami. Ils usèrent également de pommades.

Vers cette époque Amédée prit son premier rhume; rhume qui malgré l'amène climat de Pau ne céda point de tout l'hiver, et laissa derrière lui une fâcheuse délicatesse du côté des bronches. Ce fut pour Gaston l'occasion de nouveaux soins; il comblait son ami de réglisse, de pâtes au jujube, au lichen et de pastilles pectorales à base d'eucalyptus que le père Blafaphas fabriquait lui-même, d'après la recette d'un vieux curé. Amédée, facilement catarrheux, dut se résigner à ne sortir jamais sans foulard.

Amédée n'avait d'autre ambition que de succéder à son père. Gaston cependant, malgré son apparence indolente, ne manquait pas d'initiative; dès le lycée il s'ingéniait à de menues inventions, à vrai dire plutôt récréatives : une trappe-à-mouches, un pèse-billes, un verrou de sûreté pour son pupitre, qui du reste ne contenait pas plus de secrets que son cœur. Si innocentes que fussent les premières applications de son industrie, elles devaient néanmoins l'amener à des recherches plus sérieuses, qui l'occupèrent dans la suite, et dont le premier résultat fut l'invention de cette "pipe fumivore hygiénique, pour fumeurs délicats de la poitrine et autres ", qui resta longtemps exposée à la devanture du pharmacien.

Amédée Fleurissoire et Gaston Blafaphas s'éprirent ensemble d'Arnica; c'était fatal. Chose admirable, cette naissante passion, qu'aussitôt l'un à l'autre ils s'avouèrent, loin de les diviser, ne fit que resserrer leur couture. Et certes Arnica ne leur donna d'abord, à l'un non plus qu'à l'autre, de grands motifs de jalousie. Aucun d'eux du reste ne s'était déclaré; et jamais Arnica n'eût été supposer leur flamme, malgré le tremblement de leur voix lorsque, à ces petites soirées du dimanche chez Mme Semène dont ils étaient les familiers, elle leur offrait le sirop, la verveine ou la camomille. Et tous deux, s'en retournant le soir, célébraient sa décence et sa grâce, s'inquiétaient de sa pâleur, s'enhardissaient...

Ils convinrent de se déclarer l'un et l'autre le même soir, ensemble, puis de s'abandonner à son choix. Arnica, toute neuve devant l'amour, remercia le ciel dans la surprise et la simplicité de son cœur. Elle pria les deux soupirants de lui laisser le temps de réfléchir.

A vrai dire elle ne penchait non plus vers l'un que vers l'autre, et ne s'intéressait à eux que parce qu'eux s'intéressaient à elle, alors qu'elle avait résigné l'espoir d'intéresser jamais personne. Six semaines durant, perplexe de plus en plus, elle s'enivra doucement des hommages de ses prétendants parallèles. Et tandis que dans leurs promenades nocturnes, supputant mutuellement leurs progrès, les Blafafoires se racontaient longuement l'un à l'autre, sans détours, les moindres mots, les regards, les sourires dont *elle* les avait gratifiés, Arnica, retirée dans sa chambre, écrivait sur des bouts de papier qu'elle brûlait soigneusement ensuite à la flamme de sa bougie, et répétait inlassablement tour à tour : Arnica Blafaphas?... Arnica Fleurissoire? incapable de décider entre l'atrocité de ces deux noms.

Puis brusquement, certain jour de sauterie, elle avait choisi Fleurissoire; Amédée ne venait-il pas de l'appeler *Arnîca*, en accentuant la pénultième de son nom d'une manière qui lui parut italienne? (inconsidérément du reste, et sans doute entraîné par le piano de Mlle Semène qui rythmait l'atmosphère en ce moment), et ce nom d'Arnica, son propre nom, aussitôt lui était apparu riche d'une musique imprévue, capable lui aussi d'exprimer poésie, amour... Ils étaient tous deux seuls dans un petit parloir à côté du salon, et si près l'un de l'autre que, lorsque Arnica défaillante laissa pencher sa tête lourde de reconnaissance, son front toucha l'épaule d'Amédée qui, très grave, prit alors la main d'Arnica et lui baisa le bout des doigts.

Quand, au retour, Amédée annonça son bonheur à son ami, Gaston, contre son habitude, ne dit rien et, quand ils passèrent devant une lanterne, il parut à Fleurissoire qu'il pleurait. Si grande que fût la naïveté d'Amédée, pouvait-il vraiment supposer que son ami partageait jusqu'à ce dernier point son bonheur? Tout décontenancé, tout penaud, il prit Blafaphas dans ses bras (la rue était déserte) et lui jura que, pour grand que fût son amour, son amitié l'emportait de beaucoup encore, qu'il n'entendait pas que, par son mariage, elle fût en rien diminuée et qu'enfin, plutôt que de sentir Blafaphas souffrant de quelque jalousie, il était prêt à lui promettre, sur son bonheur, de ne jamais user de ses droits conjugaux.

Ni Blafaphas ni Fleurissoire n'étaient de tempérament bien fougueux; pourtant Gaston, que sa virilité occupait un peu davantage, se tut et laissa promettre Amédée.

Peu de temps après le mariage d'Amédée, Gaston qui, pour se consoler, s'était plongé dans le travail, découvrit le

Carton Plastique. Cette invention, qui d'abord n'avait l'air de rien, eut pour premier résultat de revigorer l'amitié quelque peu retombée de Lévichon pour les Blafafoires. Eudoxe Lévichon pressentit aussitôt le parti que la statuaire religieuse pourrait tirer de cette nouvelle matière, qu'il baptisa d'abord, avec un remarquable sentiment des contingences : *Carton-Romain*[1]. La maison Blafaphas, Fleurissoire et Lévichon fut fondée.

L'affaire s'élançait avec un capital de soixante mille francs déclarés, sur lesquels les Blafafoires s'inscrivaient à eux deux modestement pour dix mille. Lévichon fournissait généreusement les cinquante autres, n'ayant point supporté que ses deux amis s'obérassent. Il est vrai que sur ces cinquante mille francs, quarante étaient prêtés par Fleurissoire, prélevés sur la dot d'Arnica, remboursables en dix ans, avec un intérêt cumulatif de 4 1/2 % — ce qui était plus qu'Arnica n'avait jamais espéré, et ce qui mettait la petite fortune d'Amédée à l'abri des grands risques que cette entreprise ne pouvait manquer de courir. Les Blafafoires, par contre, apportaient l'appui de leurs relations et de celles des Baraglioul, c'est-à-dire, après que le Carton-Romain eût fait ses preuves, la protection de maints membres influents du clergé; ceux-ci (en plus de quelques importantes commandes) persuadèrent maintes petites paroisses de s'adresser à la maison F. B. L. pour répondre aux besoins grandissants des fidèles, l'éducation artistique de plus en plus perfectionnée exigeant des

1. *Le Carton-Romain-Plastique*, annonçait le catalogue, d'invention relativement récente, de fabrication spéciale, dont la maison Blafaphas, Fleurissoire et Lévichon garde le secret, remplace fort avantageusement le carton-pierre, le papier-stuc et autres compositions analogues, dont l'usage n'a que trop bien établi toute la défectuosité. (Suivaient les descriptions des différents modèles.)

œuvres plus exquises que celles dont la fruste foi des ancêtres s'était jusqu'à présent contentée. A cet effet quelques artistes, de mérite reconnu par l'Église, enrôlés dans l'œuvre du Carton-Romain, obtinrent de voir enfin leurs œuvres acceptées par le jury du Salon. Laissant à Pau les Blafafoires, Lévichon s'établit à Paris où comme il avait de l'entregent, la maison avait bientôt pris une extension considérable.

Que la comtesse Valentine de Saint-Prix cherchât, à travers Arnica, à intéresser la maison Blafaphas et Cⁱᵉ à la secrète cause de la délivrance du pape, quoi de plus naturel? et qu'elle eût confiance dans la grande piété des Fleurissoire pour rentrer dans une partie de son avance. Par malheur, les Blafafoires, en raison de la minime somme engagée par eux au début de l'entreprise, ne touchaient que très peu : deux douzièmes sur les revenus avoués et absolument rien sur les autres. C'est ce que la comtesse ignorait, Arnica ayant, de même qu'Amédée, grande pudeur à l'endroit du porte-monnaie.

III

— Chère Madame! Qu'y a-t-il? Votre lettre m'a bien fait peur.

La comtesse se laissa tomber dans le fauteuil qu'avançait vers elle Arnica.

— Ah! Madame Fleurissoire... tenez, laissez-moi vous appeler : chère amie... Cette peine, qui vous touche aussi, nous rapproche. Ah! si vous saviez!...

— Parlez! parlez! ne me laissez pas plus longtemps dans l'attente.

— Mais ce que je viens d'apprendre, et que je vais vous dire, doit rester un secret entre nous.

— Je n'ai jamais trahi la confiance de personne, dit dolemment Arnica, à qui personne encore n'avait jamais confié aucun secret.

— Vous n'allez pas y croire.

— Si! si, gémissait Arnica.

— Ah! gémissait la comtesse. Tenez, serez-vous assez bonne pour me préparer une tasse de n'importe quoi... Je sens que je m'en vais.

— Voulez-vous de la verveine? du tilleul? de la camomille?

— N'importe quoi... Du thé plutôt... Je refusais d'y croire d'abord.

— Il y a de l'eau bouillante à la cuisine. Ce sera l'affaire d'un instant.

Et tandis qu'Arnica s'affairait, l'œil intéressé de la comtesse expertisait le salon. Il y régnait une modestie décourageante. Des chaises de reps vert, un fauteuil en velours grenat, un autre en vulgaire tapisserie, dans lequel elle était assise; une table, une console d'acajou; devant le foyer, un tapis en chenilles de laine; sur la cheminée, des deux côtés d'une pendule en albâtre, sous globe, deux grands vases d'albâtre ajourés, sous globes pareillement; sur la table, un album de photographies de famille; sur la console, une image de Notre-Dame de Lourdes dans sa grotte, en carton-romain, modèle réduit — tout déconseillait la comtesse, qui sentait le cœur lui manquer.

Après tout, c'étaient peut-être des faux pauvres, des avaricieux...

Arnica revenait avec la théière, le sucre et une tasse, sur un plateau.

— Je vous donne beaucoup de mal.

— Oh! je vous en prie!... Seulement je préfère que ce soit avant; parce qu'après je n'aurais plus la force.

— Eh bien! voilà, commença Valentine après qu'Arnica se fut assise : Le pape...

— Non! Ne me dites pas! ne me dites pas! fit aussitôt Mme Fleurissoire, étendant la main devant elle; puis poussant un faible cri elle retomba en arrière, les yeux clos.

— Ma pauvre amie! ma pauvre chère amie, disait la comtesse en lui tapotant le poignet. Je savais bien que ce secret serait au-dessus de vos forces.

Enfin Arnica ouvrit un œil et murmura tristement :

— Il est mort?

Alors Valentine, se penchant vers elle, lui glissa dans l'oreille :

— Emprisonné.

La stupeur fit revenir à elle Mme Fleurissoire; et Valentine commença son long récit, trébuchant sur les dates, s'embrouillant dans la chronologie; mais le fait était là, certain, indiscutable : notre Saint-Père était tombé entre les mains des infidèles; on organisait secrètement, pour le délivrer, une croisade; et il fallait d'abord, pour mener à bien celle-ci, beaucoup d'argent.

— Qu'est-ce que va dire Amédée? gémissait Arnica consternée.

Il ne devait rentrer que le soir, parti en promenade avec son ami Blafaphas...

— Surtout recommandez-lui bien le secret, répéta Valentine plusieurs fois, en prenant congé d'Arnica. — Embrassons-nous, ma chère amie; bon courage! — Arnica, confuse, tendait à la comtesse son front moite. — Demain je passerai savoir ce que vous pensez pouvoir faire. Consultez monsieur Fleurissoire; mais songez qu'il y va de l'Église!... Et c'est bien entendu : à votre mari seulement!

Vous me le promettez : pas un mot ; n'est-ce pas ? pas un mot.

La comtesse de Saint-Prix avait laissé Arnica dans un état de dépression très voisin de la défaillance. Lorsque Amédée rentra de promenade :

— Mon ami, lui dit-elle aussitôt, je viens d'apprendre quelque chose d'excessivement triste. Le pauvre Saint-Père est emprisonné.

— Pas possible! fit Amédée comme il aurait dit : Bah!

Alors Arnica, éclatant en sanglots :

— Je savais bien, je savais bien que tu ne me croirais pas.

— Mais voyons, voyons, ma chérie... reprenait Amédée en dépouillant le pardessus sans lequel il ne sortait pas volontiers, par crainte des changements brusques de température. Songes-tu ? Tout le monde saurait cela, si on avait touché au Saint-Père. Ça se lirait dans les journaux... Et qui est-ce qui aurait pu l'emprisonner ?

— Valentine dit que c'est la Loge.

Amédée regarda Arnica avec l'idée qu'elle était devenue folle. Il dit pourtant :

— La Loge!... Quelle Loge ?

— Mais comment veux-tu que je sache ? Valentine a promis de ne pas en parler.

— Qui est-ce qui lui a raconté tout cela ?

— Elle m'a défendu de le dire... Un chanoine, qui est venu de la part d'un cardinal, avec sa carte...

Arnica n'entendait rien aux affaires publiques et, de ce que lui avait raconté Mme de Saint-Prix, ne se faisait qu'une représentation confuse. Les mots *captivité, emprisonnement* levaient devant ses yeux des images ténébreuses et semi-romantiques ; le mot *croisade* l'exaltait infiniment, et lorsque, enfin ébranlé, Amédée parla de partir, elle le vit soudain en cuirasse et en heaume, à cheval... Lui marchait à présent à grands pas à travers la pièce; il disait :

— D'abord, de l'argent, nous n'en avons pas... Et tu crois que cela me suffirait, d'en donner! Tu crois, parce que je me serais privé de quelques billets, que je pourrais reposer tranquille?... Mais, chère amie, si ce que tu me dis est vrai, c'est une chose épouvantable, et qui ne nous permet pas de nous reposer. Épouvantable, tu comprends.

— Oui, je sens bien, épouvantable... Mais tout de même explique-moi un peu... pourquoi?

— Oh! s'il faut à présent que je t'explique!... et Amédée, la sueur aux tempes, levait des bras découragés.

— Non! non, reprenait-il; ce n'est pas de l'argent qu'il faut donner ici; c'est soi-même. Je vais consulter Blafaphas; nous verrons ce qu'il me dira.

— Valentine de Saint-Prix m'a bien fait promettre de ne point parler de cela à personne, hasarda timidement Arnica.

— Blafaphas n'est pas quelqu'un; et nous lui recommanderons de garder cela pour lui seul, strictement.

— Comment veux-tu partir sans qu'on le sache?

— On saura que je pars, mais on ne saura pas où je vais. Puis, se tournant vers elle, sur un ton pathétique, il implorait : Arnica, ma chérie... laisse-moi y aller.

Elle sanglotait. A présent c'était elle qui réclamait l'appui de Blafaphas. Amédée l'allait quérir, quand, de lui-même, l'autre s'amena, frappant à la vitre du salon d'abord, selon son habitude.

— Voilà bien la plus curieuse histoire que j'aie entendue de ma vie, s'écria-t-il dès qu'on l'eut mis au fait. Non! mais en vérité, qui se serait attendu à rien de pareil? — Et brusquement, avant que Fleurissoire eût rien dit de ses intentions : — Mon ami, nous n'avons qu'une chose à faire : partir.

— Tu vois, dit Amédée, c'est sa première pensée.

— Moi, malheureusement, je suis retenu par la santé de mon pauvre père, fut la seconde.

— Après tout, il vaut mieux que je sois seul, reprit Amédée. A deux, nous nous ferions remarquer.

— Vas-tu seulement savoir comment t'y prendre?

Alors Amédée levait le haut du corps et les sourcils avec l'air de dire : Je ferai de mon mieux, que veux-tu! Blafaphas continuait :

— Vas-tu savoir à qui t'adresser? Où aller?... Au juste qu'est-ce que tu vas faire là-bas?

— D'abord reconnaître ce qui en est.

— Car enfin, si rien de tout cela n'était vrai?

— Précisément, je ne peux pas rester dans le doute.

Et Gaston s'écriait aussitôt :

— Moi non plus.

— Mon ami, réfléchis encore, essayait Arnica.

— C'est tout réfléchi : Je pars secrètement, mais je pars.

— Quand? Tu n'as rien de prêt.

— Dès ce soir. Que me faut-il tant?

— Mais tu n'as jamais voyagé. Tu ne vas pas savoir.

— Tu verras cela, ma petite. Je vous raconterai mes aventures, disait-il avec un gentil petit ricanement qui lui secouait la pomme d'Adam.

— Tu vas t'enrhumer, c'est certain.

— Je mettrai ton foulard.

Il s'arrêtait dans sa marche, pour soulever du bout de l'index le menton d'Arnica, comme on fait aux poupons que l'on veut amener à sourire. Gaston gardait une attitude réservée. Amédée s'approcha de lui :

— Je compte sur toi pour consulter l'indicateur. Tu me diras quand j'ai un bon train pour Marseille; avec des troisièmes. Si, si, je tiens à prendre des troisièmes. Enfin prépare-moi un horaire détaillé, avec les endroits où il

faut que je change; et les buffets; jusqu'à la frontière;
après, je serai lancé, je me débrouillerai et Dieu me guidera
jusqu'à Rome. Vous m'écrirez là-bas, poste restante.

L'importance de sa mission lui surchauffait périlleuse-
ment la cervelle. Après que Gaston fut reparti il arpentait
toujours la pièce; il murmurait :

— Qu'à moi soit réservé cela! plein d'une admiration
et d'une reconnaissance attendrie : il avait donc enfin sa
raison d'être. Ah! par pitié, Madame, ne le retenez
pas! Il est si peu d'êtres sur terre qui savent trouver
leur emploi.

Tout ce qu'obtint Arnica c'est qu'il passât encore cette
nuit auprès d'elle, Gaston ayant d'ailleurs marqué sur
l'horaire, qu'il apporta dans la soirée, le train de 8 heures
du matin comme le plus pratique.

Ce matin-là, il pleuvait dru. Amédée ne consentit point
à ce qu'Arnica ni Gaston l'accompagnassent à la gare. Et
personne n'eut un regard d'adieu pour le cocasse voyageur
aux yeux d'alose, au col caché par un foulard grenat, qui
tenait à la main droite une valise de toile grise où sa carte
de visite était clouée, à la main gauche un vieux riflard,
sur le bras un châle à carreaux verts et bruns — qu'emporta le train vers Marseille.

IV

Vers cette époque, un important congrès de sociologie
rappelait à Rome le comte Julius de Baraglioul. Il n'était
peut-être pas spécialement convoqué (ayant sur les questions
sociales plutôt des convictions que des compétences),

mais il se réjouissait de cette occasion d'entrer en rapport avec quelques illustres sommités. Et comme Milan se trouvait tout naturellement sur sa route, Milan, où, comme l'on sait, sur les conseils du père Anselme, les Armand-Dubois étaient allés demeurer, il en profiterait pour revoir un peu son beau-frère.

Le jour même que Fleurissoire quittait Pau, Julius sonnait à la porte d'Anthime.

On l'introduisit dans un misérable appartement de trois pièces — si l'on peut compter pour une pièce l'obscure soupente où Véronique faisait elle-même cuire quelques légumes, ordinaire de leurs repas. Un hideux réflecteur de métal renvoyait blafard le jour étroit d'une courette; Julius, gardant à la main son chapeau plutôt que de le poser sur la douteuse toile cirée qui recouvrait une table ovale, et restant debout par horreur de la mesquine, saisit le bras d'Anthime et s'écria :

— Vous ne pouvez rester ici, mon pauvre ami.

— De quoi me plaignez-vous? dit Anthime.

Au bruit des voix Véronique était accourue :

— Croiriez-vous, mon cher Julius, qu'il ne trouve rien d'autre à dire, devant les passe-droits et les abus de confiance dont vous nous voyez victimes.

— Qui vous a fait partir pour Milan?

— Le père Anselme; de toute façon nous ne pouvions garder l'appartement in Lucina.

— Qu'en avions-nous besoin? dit Anthime.

— Là n'est point la question. Le père Anselme vous promettait compensation. A-t-il connu votre misère?

— Il feint de l'ignorer, dit Véronique.

— Il faut vous plaindre à l'Évêque de Tarbes.

— C'est ce qu'Anthime a fait.

— Qu'a-t-il dit?

— C'est un excellent homme; il m'a vivement encouragé dans ma foi.

— Mais depuis que vous êtes ici, n'en avez-vous appelé à personne?

— J'ai failli voir le cardinal Pazzi qui m'avait marqué de l'attention, et à qui j'avais récemment écrit; il a bien passé par Milan, mais il m'a fait dire par son valet...

— Qu'une crise de goutte regrettait de le tenir à la chambre, interrompit Véronique.

— Mais c'est abominable! Il faut en aviser Rampolla, s'écria Julius.

— L'aviser de quoi, cher ami? il est de fait que je suis un peu dénué; mais qu'avons-nous besoin davantage? J'errais, du temps de ma prospérité; j'étais pécheur; j'étais malade. A présent, me voici guéri. Jadis vous aviez beau jeu de me plaindre. Vous le savez, pourtant : les faux biens détournent de Dieu.

— Mais enfin ces faux biens vous sont dus. Je consens que l'Église vous enseigne à les mépriser, mais non point qu'elle vous en frustre.

— Voilà parler, dit Véronique. Avec quel soulagement je vous écoute, Julius. Ses résignations, à lui, me font bouillir; pas moyen de l'amener à se défendre; il s'est laissé plumer comme un oison, disant merci à tous ceux qui voulaient bien prendre, et prenaient au nom du Seigneur.

— Véronique, il m'est pénible de t'entendre parler ainsi; tout ce qu'on fait au nom du Seigneur est bien fait.

— Si vous trouvez plaisant d'être jobard...

— Dans jobard il y a un Job, mon ami.

Alors Véronique, se tournant vers Julius :

— Vous l'entendez? Eh bien! il est pareil à cela tous les jours; il n'a plus en bouche que des capucinades; et quand j'ai bien trimé, faisant marché, cuisine et ménage,

Monsieur cite son Évangile, trouve que je m'agite pour bien des choses et me conseille de regarder les lis des champs.

— Je t'aide de mon mieux, mon amie, reprit Anthime, d'une voix séraphique; je t'ai maintes fois proposé, puisque je suis ingambe à présent, d'aller au marché ou de faire le ménage à ta place.

— Ce n'est point là affaire aux pantalons. Contente-toi d'écrire tes homélies, et tâche seulement à te les faire payer un peu plus. Puis sur un ton toujours plus irrité (elle naguère si souriante!) : — Si ce n'est pas une honte! quand on songe à ce qu'il gagnait à *La Dépêche* avec ses articles impies : Et les quelques rotins que lui verse aujourd'hui *Le Pèlerin* pour ses prônes, il trouve encore moyen d'en laisser les trois quarts aux pauvres.

— Alors c'est un saint tout à fait!... s'écriait Julius consterné.

— Ah! ce qu'il m'agace avec sa sainteté!... Tenez : savez-vous ce que c'est que ça? — et elle allait dans un coin sombre de la pièce, quérir une cage à poulets : — Ce sont deux rats auxquels Monsieur le savant a crevé les yeux, dans le temps.

— Hélas! Véronique, pourquoi revenez-vous là-dessus? Vous les nourrissiez bien, du temps que j'expérimentais sur eux; et je vous le reprochais alors... Oui, Julius, du temps de mes forfaits, j'avais, par vaine curiosité scientifique, aveuglé ces pauvres animaux, j'en ai charge à présent; ce n'est que naturel.

— Je voudrais bien que l'Église trouvât également naturel de faire pour vous ce que vous faites pour ces rats, après vous avoir aveuglé tout de même.

— Aveuglé, dites-vous! Est-ce vous qui parlez ainsi? Illuminé, mon frère; illuminé.

— Je vous parle du positif. L'état dans lequel on vous abandonne est pour moi chose inadmissible. L'Église a pris des engagements envers vous; il est de nécessité qu'elle les tienne; pour son honneur, et pour notre foi. — Puis se tournant vers Véronique : — Si vous n'avez rien obtenu, adressez-vous plus haut encore, toujours plus haut. Que parlais-je de Rampolla? C'est au pape lui-même à présent que je veux porter une supplique; au pape qui n'ignore pas votre conversion. Un tel déni de justice mérite qu'il en soit instruit. Dès demain je retourne à Rome.

— Vous nous resterez bien à dîner, hasarda craintivement Véronique.

— Excusez-moi; je n'ai pas l'estomac très solide (et Julius, dont les ongles étaient soignés, remarquait les gros doigts courts, carrés du bout, d'Anthime); à mon retour de Rome, je vous verrai plus longuement, et je vous entretiendrai, cher Anthime, du nouveau livre que je prépare.

— J'ai relu ces jours derniers *l'Air des Cimes* et trouvé ça meilleur qu'il ne m'avait paru d'abord.

— Tant pis pour vous! C'est un livre manqué; je vous expliquerai pourquoi quand vous serez en état de m'entendre et d'apprécier les étranges préoccupations qui m'habitent. J'ai trop à dire. Motus pour aujourd'hui.

Il quitta les Armand-Dubois leur ayant souhaité bon espoir.

LIVRE QUATRIÈME

LE MILLE-PATTES

> " Et je ne puis approuver que ceux
> qui cherchent en gémissant. "
>
> PASCAL, 3421.

I

Amédée Fleurissoire avait quitté Pau avec cinq cents francs dans sa poche, qui certainement devaient suffire à son voyage, malgré les faux frais où l'entraînerait sans doute la malignité de la Loge. Puis, si la somme ne suffisait pas, s'il se voyait contraint de prolonger davantage son séjour, il ferait appel à Blafaphas qui tenait à sa disposition une petite réserve.

Personne à Pau ne devant savoir où il allait, il n'avait pris billet que pour Marseille. De Marseille à Rome le billet de troisième ne coûtait que trente-huit francs quarante et lui laissait la faculté de s'arrêter en cours de route; ce dont il pensait profiter pour satisfaire, non point à la curiosité des lieux étranges qu'il n'avait jamais eue vive, mais à son besoin de sommeil qu'il avait extraordinairement exigeant. C'est-à-dire qu'il redoutait par-dessus tout l'insomnie; et, comme il importait à l'Église qu'il arrivât à Rome bien gaillard, il ne regarderait pas à la remise de deux jours, à quelques frais d'hôtel en sus... Qu'était-ce que cela auprès d'une nuit en wagon, blanche à n'en pas douter, et malsaine particulièrement à cause des exha-

laisons des autres voyageurs; puis, si l'un d'eux désireux
de renouveler l'air, s'avisait d'ouvrir une fenêtre, alors
c'était le rhume assuré... Il coucherait donc une première
nuit à Marseille, une seconde à Gênes, dans quelqu'un de
ces hôtels point fastueux mais confortables, comme on en
trouve facilement dans le voisinage des gares; et n'arriverait à Rome que le surlendemain soir.

Au demeurant il s'amusait de ce voyage, et de le faire
seul, enfin; à quarante-sept ans, n'ayant encore jamais
vécu que sous tutelle, escorté partout par sa femme ou par
son ami Blafaphas. Calé dans son coin de wagon, il souriait
avec un air de chèvre, du bout des dents, souhaitant bénigne
aventure. Tout alla bien jusqu'à Marseille.

Le second jour il fit un faux départ. Tout absorbé dans
la lecture de *Baedeker* de l'Italie Centrale qu'il venait d'acheter, il se trompa de train et fila droit sur Lyon, ne s'en
aperçut qu'à Arles, au moment où le train repartait, et dut
poursuivre jusqu'à Tarascon; il dut redéfaire la route;
puis prit un train du soir qui le porta jusqu'à Toulon,
plutôt que de coucher une nouvelle nuit à Marseille où
les punaises l'avaient gêné.

La chambre n'avait pourtant pas mauvais aspect, qui
donnait sur la Canebière; ni le lit, ma foi! dans lequel il
s'était étendu en confiance après avoir plié ses vêtements,
fait ses comptes et ses prières. Il tombait de sommeil et
s'était endormi aussitôt.

Les punaises ont des mœurs particulières; elles attendent
que la bougie soit soufflée, et, sitôt dans le noir, s'élancent.
Elles ne se dirigent pas au hasard; vont droit au cou, qu'elles
prédilectionnent; s'adressent parfois aux poignets; quelques
rares préfèrent les chevilles. On ne sait trop pourquoi elles
infusent sous la peau du dormeur une subtile huile urticante

dont la virulence à la moindre friction s'exaspère...

La démangeaison qui réveilla Fleurissoire était si vive qu'il ralluma sa bougie et courut au miroir contempler, sous le maxillaire inférieur, une rougeur confuse semée d'indistincts petits points blancs; mais la camoufle éclairait mal; la glace était de tain sali, son regard brouillé de sommeil... Il se recoucha, frottant toujours; éteignit de nouveau; ralluma cinq minutes après, la cuisson devenant intolérable; bondit à sa toilette, mouilla dans le broc son mouchoir et l'appliqua sur la zone enflammée; celle-ci, toujours plus étendue, atteignait à présent la clavicule. Amédée crut qu'il tombait malade et pria; puis éteignit encore. Le répit apporté par la fraîcheur de la compresse fut de courte durée pour laisser le patient se rendormir; à présent se joignait à l'atrocité de l'urticaire la gêne d'un col de chemise trempé; qu'il trempait aussi de ses larmes. Et tout à coup il sursauta d'horreur : des punaises! ce sont des punaises!... Il s'étonna de n'y avoir pas pensé plus tôt; mais il ne connaissait l'insecte que de nom, et comment aurait-il assimilé l'effet d'une morsure précise à cette brûlure indéfinie? Il jaillit hors du lit; pour la troisième fois ralluma la bougie.

Théorique et nerveux, il se faisait, comme beaucoup de gens, des idées fausses sur les punaises, et, glacé de dégoût, commença par les chercher sur lui; n'en vit mie; pensa s'être trompé; déjà se recroyait malade. Rien sur les draps non plus; mais, avant de se recoucher, l'idée lui vint pourtant de soulever son traversin. Il aperçut alors trois minuscules pastilles noirâtres, qui prestement se muchèrent dans un repli de drap. C'étaient elles!

Posant sa bougie sur le lit, il les traqua, ouvrit le pli, en surprit cinq que, par dégoût, n'osant escarbouiller contre son ongle, il précipita dans son pot de chambre et compissa. Quelques instants il les regarda se débattre, content, féroce, et du coup se sentit un peu soulagé. Se recoucha; souffla.

Les démangeaisons presque aussitôt redoublèrent; de nouvelles, sur la nuque, à présent. Exaspéré il ralluma, se releva, enleva cette fois sa chemise pour en examiner le col à loisir. Enfin il distingua, au ras de la couture, courir, d'imperceptibles points rouge clair, qu'il écrasa contre la toile, où ils firent une marque de sang; les sales bêtes, si petites, il avait peine à croire que ce fussent déjà des punaises; mais, peu après, soulevant de nouveau son traversin, il en dénicha une énorme : leur mère assurément; alors encouragé, excité, amusé presque, il enleva le traversin, défit ses draps, et commença de fouiller avec méthode. A présent il se figurait partout en voir; mais somme toute n'en prit que quatre; se recoucha et put goûter une heure de calme.

Puis les brûlures recommencèrent. Il partit à la chasse une fois encore; puis enfin, excédé, se laissa faire et remarqua que la cuisson, s'il n'y touchait pas, se calmait somme toute assez vite. A l'aube les dernières, repues, le laissèrent. Il dormait d'un sommeil profond quand le garçon vint le réveiller pour son train.

A Toulon ce furent les puces.

Sans doute les avait-il récoltées en wagon. Toute la nuit il se gratta, tourna et retourna sans dormir. Il les sentait qui lui couraient le long des jambes, lui chatouillaient les reins, l'enfiévraient. Comme il était de peau délicate, d'exubérants boutons se soulevaient sous leurs morsures, qu'il enflammait en se grattant comme à plaisir. Il ralluma plusieurs fois sa bougie; il se relevait, enlevait sa chemise, la remettait, sans avoir pu en tuer une; à peine les apercevait-il un instant : elles échappaient à sa prise, et, même s'il

parvenait à les saisir, lorsqu'il les croyait mortes, aplaties
sous son doigt, elles se regonflaient à l'instant même, repar-
taient sitôt sauves et bondissaient comme devant. Il en
venait à regretter les punaises. Il enrageait, et dans l'éner-
vement de ce pourchas inutile acheva de compromettre
son sommeil.

Et toute la journée du lendemain ses boutons de la nuit
le démangèrent, tandis que des chatouillements neufs
l'avertissaient qu'il était toujours fréquenté. L'excessive
chaleur augmentait considérablement son malaise. Le
wagon regorgeait d'ouvriers qui buvaient, fumaient,
crachaient, rotaient, et mangeaient un cervelas d'une senteur
tellement forte que Fleurissoire, à plus d'un coup, pensa
vomir. Il n'osa cependant quitter ce compartiment qu'à la
frontière, de crainte que les ouvriers, le voyant monter
dans un autre, n'allassent supposer qu'ils le gênaient;
dans le compartiment où ensuite il monta, une volumineuse
nourrice changeait les couches de son poupon. Il tâcha
néanmoins de dormir; mais il était alors gêné par son chapeau. C'était un de ces chapeaux plats, de paille blanche à
ruban noir, de l'espèce de ceux qu'on appelle communément : canotiers. Quand Fleurissoire le laissait dans sa
position ordinaire, le bord rigide écartait sa tête de la
cloison; si, pour s'appuyer, il relevait un peu le chapeau,
la cloison le précipitait en avant; lorsque, au contraire, il
réprimait le chapeau en arrière, le bord se coinçait alors
entre la cloison et sa nuque et le canotier au-dessus de son
front se levait comme une soupape. Il prit le parti de l'enlever complètement et de se couvrir le chef de son foulard
que, par crainte du jour, il laissait retomber devant ses
yeux. Du moins il s'était précautionné pour la nuit : il
avait acheté à Toulon, le matin, une boîte de poudre insecti-
cide et, dût-il payer cher, pensait-il, il n'hésiterait pas, ce

soir-là, à descendre dans un des meilleurs hôtels ; car si
cette nuit il ne dormait pas davantage, dans quel état de
misère physiologique arriverait-il à Rome ? à la merci du
moindre franc-maçon.

Devant la gare de Gênes stationnaient les omnibus des
principaux hôtels ; il alla droit à l'un des plus cossus, sans
se laisser intimider par la morgue du laquais qui s'empara
de sa piteuse valise ; mais Amédée ne s'en voulait point
séparer ; il refusa de la laisser poser sur le dessus de la voiture,
exigea qu'on la mît, là, près de lui, sur le coussin de la banquette. Dans le vestibule de l'hôtel le portier en parlant
français le mit à l'aise ; alors il se lança et, non content de
demander "une très bonne chambre", s'enquit des prix
de celles qu'on lui proposait, résolu, au-dessous de douze
francs, à ne rien trouver à sa convenance.

La chambre de dix-sept francs pour laquelle il se décida,
après en avoir visité plusieurs, était vaste, propre, élégante,
sans excès ; le lit avançait dans la pièce, un lit de cuivre, net,
assurément inhabité, à qui le pyrèthre eût fait injure.
Dans une sorte d'armoire énorme, la toilette était dissimulée. Deux larges fenêtres ouvraient sur un jardin ;
Amédée, penché vers la nuit, contempla d'indistincts et
sombres feuillages, longuement, laissant l'air tiède lentement calmer sa fièvre et le persuader au sommeil. Au-dessus
du lit, un voile de tulle retombait en brouillard exactement
de trois côtés ; de petits cordonnets, semblables aux ris
d'une voile, le relevaient par-devant dans une courbe
gracieuse. Fleurissoire reconnut là ce qu'on appelle : moustiquaire — dont il avait toujours dédaigné d'user.

Après s'être lavé, il s'étendit avec délices dans les draps
frais. Il laissait la fenêtre ouverte ; non toute grande assurément, par crainte du rhume et de l'ophtalmie, mais un des
battants rabattu de manière que ne lui parvinssent pas direc-

tement les effluves; fit ses comptes et ses prières, puis
éteignit. (L'éclairage était électrique, qu'on arrêtait en
chavirant la chevillette d'un interrupteur de courant.)

Fleurissoire allait s'endormir lorsqu'un mince chanton-
nement vint lui remémorer cette précaution, qu'il n'avait
point prise, de n'ouvrir la fenêtre qu'après avoir éteint;
car la lumière attire les moustiques. Il lui souvint aussi
d'avoir lu quelque part des remerciements au bon Dieu pour
avoir doué l'insecte volatile d'une petite musique particulière, propre à avertir le dormeur à l'instant qu'il allait
être piqué. Puis, il fit retomber tout autour de lui la mousse-
line infranchissable. "Combien cela ne vaut-il pas mieux,
après tout, pensait-il en s'assoupissant, que ces petits cônes
en feutre d'herbe sèche, que, sous le nom baroque de
fidibus, débite le père Blafaphas; on les allume sur une
soucoupe de métal; ils se consument en répandant une
grande abondance de fumée narcotique; mais devant que
d'engourdir les moustiques, ils asphyxient à demi le dormeur. Fidibus! quel drôle de nom! Fidibus... " Il s'endormait déjà quand, soudain, à l'aile gauche du nez, une vive
piqûre. Il y porta la main; et tandis qu'il palpait doucement
le cuisant soulèvement de sa chair : piqûre au poignet.
Puis, contre son oreille un zézaiement narquois... Horreur!
il avait enfermé l'ennemi dans la place! Il atteignit la chevillette et rétablit le courant.

Oui! le moustique était là, posé, tout en haut de la moustiquaire. Un peu presbyte, Amédée le distinguait fort bien,
fluet jusqu'à l'absurde, campé sur quatre pieds et portant
rejetée en arrière la dernière paire de pattes, longue et
comme bouclée; l'insolent! Amédée se dressa debout sur
son lit. Mais comment écraser l'insecte contre un tissu
fuyant, vaporeux?... N'importe! il donna du plat de la

main, si fort, si vite, qu'il crut avoir crevé la moustiquaire.
A coup sûr le moustique y était; il chercha des yeux le
cadavre; ne vit rien; mais sentit une nouvelle piqûre au
jarret.

Alors, pour protéger du moins le plus possible de sa
personne, il rentra dans son lit; puis resta peut-être un
quart d'heure, hébété, n'osant plus éteindre. Puis, tout de
même rassuré, ne voyant ni n'entendant plus d'ennemi,
éteignit. Et tout de suite la musique recommença.

Alors il ressortit un bras, gardant la main près du visage,
et, par instants, quand il en croyait sentir un, bien posé,
sur son front ou sa joue, appliquait une vaste claque. Mais,
sitôt après, il entendait de nouveau l'insecte chanter.

Après quoi il eut l'idée de se couvrir la tête de son
foulard, ce qui gêna considérablement sa volupté respi-
ratoire, et ne l'empêcha pas d'être piqué au menton.

Alors le moustique, repu sans doute, se tint coi; du
moins Amédée, vaincu par le sommeil, cessa-t-il de l'entendre; il avait enlevé le foulard et dormait d'un sommeil
enfiévré; il se grattait tout en dormant. Le lendemain
matin son nez, qu'il avait naturellement aquilin, ressemblait
à un nez d'ivrogne; le bouton du jarret bourgeonnait
comme un clou et celui du menton avait pris un aspect
volcanique — qu'il recommanda à la sollicitude du barbier
lorsque, avant de quitter Gênes, il se fit raser, pour arriver
décent à Rome.

II

A Rome, comme il lanternait devant la gare, sa valise à
la main, si fatigué, si désorienté, si perplexe qu'il ne se
décidait à rien et ne se sentait plus de force que pour repous-

ser les avances des portiers d'hôtels, Fleurissoire eut la
fortune de rencontrer un facchino qui parlait français.
Baptistin était un jeune natif de Marseille, presque glabre
encore, à l'œil vif, qui, reconnaissant en Fleurissoire un
pays, s'offrit à le guider et à lui porter sa valise.

Fleurissoire, durant la longueur du voyage, avait potassé
son *Bædeker*. Une sorte d'instinct, de pressentiment, d'avertissement intérieur, détourna presque aussitôt du Vatican
sa pieuse sollicitude, pour la concentrer sur le Château
Saint-Ange, l'ancien Mausolée d'Adrien, cette geôle célèbre
qui, dans de secrets cachots. avait jadis abrité maints
prisonniers illustres, et qu'un corridor souterrain relie,
paraît-il, au Vatican.

Il contemplait le plan. — " C'est là qu'il faut trouver à se
loger ", avait-il décidé, posant l'index sur le quai di Tordi-
nona, en face du Château Saint-Ange. Et, par une con-
jonĉture providentielle, c'est aussi là que se proposait de
l'entraîner Baptistin; non sur le quai précisément, qui n'est
à proprement parler qu'une chaussée, mais tout auprès :
via dei Vecchierelli, c'est-à-dire : des petits vieillards, la
troisième rue, en partant du ponte Umberto, qui vient
buter sur le remblai; il connaissait une maison tranquille
(des fenêtres du troisième, en se penchant un peu, on
aperçoit le Mausolée), où des dames très complaisantes
parlent toutes les langues, et une en particulier le français.

— Si Monsieur est fatigué on peut prendre une voiture;
c'est loin... Oui, l'air est plus frais ce soir; il a plu; un
peu de marche après le long trajet fait du bien... Non, la
valise n'est pas trop lourde; je la porterai bien jusque-là...
Pour la première fois à Rome! Monsieur vient de Toulouse peut-être?... Non; de Pau. J'aurais dû reconnaître
l'accent.

Ainsi causant ils cheminaient. Ils prirent la via Viminale;

puis la via Agostino Depretis, qui joint le Viminale au
Pincio; puis, par la via Nazionale, ils gagnèrent le Corso,
qu'ils traversèrent; à partir de quoi ils progressèrent à
travers un labyrinthe de ruelles sans nom. La valise n'était
pas si lourde qu'elle ne permît au facchino un pas très
allongé que Fleurissoire n'emboîtait qu'à grand-peine. Il
trottinait derrière Baptistin, recru de fatigue et fondu de
chaleur.

— Nous y voici, dit enfin Baptistin, alors que l'autre
allait demander grâce.

La rue, ou plutôt : la ruelle des Vecchierelli, était étroite
et ténébreuse, au point que Fleurissoire hésitait à s'y engager. Baptistin cependant était entré dans la seconde maison
de droite, dont la porte ouvrait à quelques mètres du coin
du quai; au même instant Fleurissoire vit un *bersagliere*
en sortir; l'uniforme élégant, qu'il avait déjà remarqué à la
frontière, le rassura; car il avait confiance dans l'armée. Il
avança de quelques pas. Une dame parut sur le seuil, la
patronne de l'auberge apparemment, qui lui sourit d'un air
affable. Elle portait un tablier de satin noir, des bracelets,
un ruban de taffetas céruléen autour du cou; ses cheveux
noir de jais, ramenés en édifice sur le sommet de la tête,
pesaient sur un énorme peigne d'écaille.

— Ta valise est montée au troisième, dit-elle à Amédée,
qui dans le tutoiement surprit une coutume italienne, ou
la connaissance insuffisante du français.

— *Grazia!* répondit-il en souriant à son tour. Grazia!
C'était : *merci*, le seul mot italien qu'il sût dire et qu'il
jugeait poli de mettre au féminin quand il remerciait une
dame.

Il monta, reprenant haleine et courage à chaque palier, car
il était rendu et l'escalier sordide travaillait à le désespérer.
Les paliers se succédaient toutes les dix marches, l'escalier

hésitant, biaisant, s'y reprenant à trois fois avant de parvenir à l'étage. Au plafond du premier palier, faisant face à l'entrée, une cage à serin était suspendue que l'on pouvait voir de la rue. Sur le second palier un chat rogneux avait traîné un peu de merluche qu'il s'apprêtait à déglutir. Sur le troisième palier donnaient les cabinets d'aisance, dont la porte grande ouverte laissait voir, à côté du siège, un vase haut de forme en terre jaune, du calice duquel sortait le manche d'un petit balai; sur ce palier Amédée ne s'arrêta point.

Au premier étage, un quinquet à la gazoline fumait à côté d'une large porte vitrée sur laquelle, en caractères dépolis, le mot *Salone* était inscrit; mais la pièce était sombre : à travers le verre, Amédée ne distinguait qu'à peine, sur le mur qui lui faisait face, une glace au cadre doré.

Il atteignait le septième palier, lorsqu'un nouveau militaire, un artilleur cette fois, sorti d'une des chambres du second, le heurta, descendant très vite, qui passa, bredouillant en riant quelque excuse italienne, après l'avoir remis en équilibre; car Fleurissoire paraissait ivre et, de fatigue, ne tenait plus qu'à peine debout. Rassuré par le premier uniforme, il fut plutôt inquiété par le second.

— Ces militaires vont faire bien du train, pensa-t-il. Heureusement que ma chambre est au troisième; j'aime mieux les avoir au-dessous.

Il n'avait pas plus tôt dépassé le second étage qu'une femme au peignoir béant, aux cheveux défaits, accourue du fond du couloir, le héla.

— Elle me prend pour quelque autre, se dit-il, et il se pressa de monter en détournant les yeux pour ne point la gêner d'avoir été surprise peu vêtue.

Au troisième étage il arriva tout essoufflé et retrouva Baptistin; celui-ci parlait italien avec une femme d'âge indécis, qui lui rappela extraordinairement, mais en moins gras, la cuisinière des Blafaphas.

— Votre valise eſt au numéro seize, la troisième porte. Faites attention, en passant, au seau qui eſt dans le couloir.

— Je l'ai mis dehors parce qu'il fuyait, expliqua la femme, en français.

La porte du seize était ouverte; sur une table, une bougie allumée éclairait la chambre et jetait un peu de clarté dans le corridor où, devant la porte du quinze, autour d'un seau de toilette en métal, luisait sur le dallage une flaque, que Fleurissoire enjamba. Une odeur âcre en émanait. La valise était là, en évidence, sur une chaise. Sitôt dans l'atmosphère étouffée de la chambre, Amédée sentit la tête lui tourner, et, jetant sur le lit son parapluie, son châle et son chapeau, se laissa tomber dans un fauteuil. Son front ruisselait; il crut qu'il allait se trouver mal.

— C'eſt Mme Carola, qui cause le français, dit Baptiſtin. Tous deux étaient entrés dans la chambre.

— Ouvrez un peu la fenêtre, soupira Fleurissoire, incapable de se lever.

— Oh! ce qu'il a chaud! disait Mme Carola en épongeant le visage blême et suant avec un petit mouchoir parfumé qu'elle sortit de son corsage.

— On va le pousser près de la croisée.

Et soulevant à eux deux le fauteuil dans lequel Amédée balancé, aux trois quarts évanoui, se laissait faire, ils le mirent à même de respirer, au lieu des relents du couloir, les puanteurs variées de la rue. La fraîcheur cependant le ranima. Fouillant dans son gousset il en sortit le tortillon de cinq lires qu'il avait préparé pour Baptiſtin :

— Je vous remercie bien. A présent laissez-moi.

Le facchino sortit.

— Tu n'aurais pas dû lui donner tant, dit Carola.

Amédée acceptait le tutoiement pour une coutume italienne; il ne songeait plus à présent qu'à se coucher; mais Carola ne semblait point prête à partir; alors, emporté par la politesse, il causa.

— Vous parlez français aussi bien qu'une Française.

— C'est pas étonnant; je suis de Paris. Et vous?

— Moi je suis du Midi.

— J'avais deviné ça. En vous voyant, je me disais : ce Monsieur doit être de la province. C'est la première fois que vous venez en Italie?

— La première.

— Vous venez pour affaires.

— Oui.

— C'est beau, Rome. Il y a beaucoup à voir.

— Oui... Mais ce soir je suis un peu fatigué, hasardait-il; et, comme pour s'excuser : — Je voyage depuis trois jours.

— C'est long pour venir ici.

— Et je n'ai pas dormi depuis trois nuits.

A ces mots, Mme Carola, avec cette subite familiarité italienne qui ne laissait pas d'interloquer encore Fleurissoire, lui pinçant le menton :

— Polisson! fit-elle.

Ce geste ramena quelque peu de sang au visage d'Amédée qui, soucieux d'écarter aussitôt l'insinuation désobligeante, parla puces, punaises, moustiques, longuement.

— Ici tu n'auras rien de tout cela. Tu vois comme c'est propre.

— Oui; j'espère que je vais bien dormir.

Mais elle ne partait toujours pas. Il se souleva péniblement du fauteuil, porta la main aux premiers boutons de son gilet, en hasardant :

— Je crois que je vais me coucher.

Mme Carola comprit la gêne de Fleurissoire :

— Tu veux que je te laisse un peu, je vois, dit-elle avec tact.

Aussitôt qu'elle fut sortie, Fleurissoire donna un tour de clef à la porte, sortit sa chemise de nuit de sa valise et se mit au lit. Mais apparemment le pène de la serrure ne mordait pas, car il n'avait pas encore soufflé sa bougie, que la tête de Carola reparut dans la porte entrebâillée, derrière le lit, tout près du lit, souriante...

Une heure plus tard, quand il se ressaisit, Carola gisait contre lui, couchée entre ses bras, toute nue.

Il dégagea de dessous elle son bras gauche qui s'aigrissait, puis s'écarta. Elle dormait. Une faible lueur, montée de la ruelle, emplissait la chambre, et l'on n'entendait d'autre bruit que celui de la respiration égale de cette femme. Alors Amédée Fleurissoire, qui ressentait tout le long du corps et dans l'âme un alanguissement insolite, sortit d'entre les draps ses jambes maigres et, assis sur le bord du lit, il pleura.

Comme la sueur tantôt, les larmes à présent lavaient sa face et se mêlaient à la poussière du wagon; elles jaillissaient sans bruit, sans arrêt, à petit flot, du fond de lui, comme d'une source cachée. Il songeait à Arnica, à Blafaphas, hélas! Ah! s'ils l'avaient pu voir! Jamais plus il n'oserait, à présent, reprendre sa place auprès d'eux... Puis il songeait à sa mission auguste, désormais compromise; il gémissait à demi-voix :

— C'en est fait! Je ne suis plus digne... Ah! c'en est fait! C'en est bien fait!

L'accent étrange de ses soupirs cependant avait réveillé Carola. A présent, à genoux au pied du lit, il martelait à petits coups de poing sa débile poitrine, et Carola stupéfaite l'entendait claquer des dents, et, parmi ses sanglots, répéter :

— Sauve qui peut! L'Église croule...

A la fin, n'y tenant plus :

— Mais qu'est-ce qui te prend, mon pauvre vieux? Tu deviens fou?

Il se tourna vers elle :

— Je vous en prie, madame Carola, laissez-moi... Il faut absolument que je reste seul. Je vous reverrai demain matin.

Puis comme, somme toute, il n'en voulait qu'à lui, il l'embrassa doucement sur l'épaule :

— Ah! ce que nous avons fait là, vous ne savez pas combien c'est grave. Non, non! Vous ne savez pas. Vous ne pourrez jamais savoir.

III

Sous le nom pompeux de *Croisade pour la délivrance du Pape*, l'entreprise d'escroquerie étendait sur plus d'un département français ses ramifications ténébreuses; Protos, le faux chanoine de Virmontal, n'en était pas le seul agent, non plus que la comtesse de Saint-Prix n'en était la seule victime. Et toutes les victimes ne présentaient pas une égale complaisance, si bien encore tous les agents eussent fait preuve d'une égale dextérité. Même Protos, l'ancien ami de Lafcadio, après opération, devait garder à carreau; il vivait dans une continuelle appréhension que le clergé, le vrai, ne devînt instruit de l'affaire, et dépensait à protéger ses derrières autant d'ingéniosité qu'à pousser de l'avant; mais il était divers, et, de plus, admirablement secondé; d'un bout à l'autre de la bande (elle avait nom *le Mille-Pattes*) régnaient une entente et une discipline merveilleuses.

Averti le même soir par Baptistin de l'arrivée de l'étranger et passablement alarmé d'apprendre que celui-ci venait de Pau, Protos, dès sept heures du matin, s'amena le lendemain chez Carola. Elle était encore couchée.

Les renseignements qu'il obtint d'elle, le confus récit qu'elle fit des événements de la nuit, de l'angoisse du " pèlerin " (c'est ainsi qu'elle surnommait Amédée), de ses protestations, de ses larmes, ne pouvaient lui laisser de doutes. Décidément la prédication de Pau portait fruit; mais non point precisément la sorte de fruits qu'eût pu souhaiter Protos; il fallait tenir l'œil ouvert sur ce croisé naïf qui, par ses maladresses, pourrait bien éventer la mèche...

— Allons! laisse-moi passer, dit-il brusquement à Carola.

Cette phrase pouvait paraître bizarre, car Carola restait couchée; mais le bizarre n'arrêtait point Protos. Il mit un genou sur le lit; passa l'autre par-dessus la femme, et pirouetta si habilement que, repoussant un peu le lit, il se trouva d'un coup entre le lit et la muraille. Sans doute Carola était-elle habituée à ce manège, car elle demanda simplement :

— Qu'est-ce que tu vas faire?

— Me mettre en curé, répondit Protos, non moins simplement.

— Tu ressors par ce côté?

Protos hésita un instant, puis :

— Tu as raison; c'est plus naturel.

Ainsi disant, il se baissa, fit jouer une porte secrète, dissimulée dans le revêtement du mur, et si basse que le lit la cachait complètement. Au moment qu'il passait sous la porte, Carola lui saisit l'épaule :

— Écoute, lui dit-elle avec une sorte de gravité, à celui-ci je ne veux pas que tu fasses de mal.

— Puisque j' te dis que j' me mets en curé!

Dès qu'il eut disparu, Carola se leva et commença de s'habiller.

Je ne sais trop que penser de Carola Venitequa. Ce cri qu'elle vient de pousser me laisse supposer que le cœur, chez elle, n'est pas encore trop profondément corrompu. Ainsi parfois, au sein même de l'abjection, tout à coup se découvrent d'étranges délicatesses sentimentales, comme croît une fleur azurée au milieu d'un tas de fumier. Essentiellement soumise et dévouée, Carola, ainsi que tant d'autres femmes, avait besoin d'un directeur. Abandonnée de Lafcadio, elle s'était aussitôt lancée à la recherche de son premier amant, Protos, — par défi, par dépit, pour se venger. Elle avait de nouveau connu de dures heures — et Protos ne l'avait pas plus tôt retrouvée qu'il en avait fait sa chose, de nouveau. Car Protos aimait dominer.

Un autre que Protos aurait pu relever, réhabiliter cette femme. Il eût fallu d'abord le vouloir. On eût dit, au contraire, que Protos prenait à tâche de l'avilir. Nous avons vu les services honteux que ce bandit réclamait d'elle; il semblait, à vrai dire, que ce fût sans trop de reluctance que cette femme s'y pliait; mais, une âme qui se révolte contre l'ignominie de son sort, souvent ses premiers sursauts demeurent inaperçus d'elle-même; ce n'est qu'à la faveur de l'amour que le regimbement secret se révèle. Carola s'éprenait-elle d'Amédée? Il serait téméraire de le prétendre; mais, au contact de cette pureté, sa corruption s'était émue; et le cri que j'ai rapporté, indubitablement, avait jailli du cœur.

Protos rentra. Il n'avait pas changé de costume. Il tenait à la main un paquet de hardes qu'il posa sur une chaise.

— Eh bien quoi? dit-elle.

— J'ai réfléchi. Il faut d'abord que je passe à la poste et que j'examine son courrier. Je ne me changerai qu'à midi. Passe-moi ton miroir.

Il s'approcha de la fenêtre, et, penché sur son reflet, ajusta une paire de moustaches châtaines, à peine un peu plus claires que ses cheveux, coupées au ras de la lèvre.

— Appelle Baptistin.

Carola achevait de s'apprêter. Elle alla tirer, près de la porte, une ficelle.

— Je t'ai déjà dit que je ne voulais plus te voir avec ces boutons de manchettes. Ça te fait remarquer.

— Tu sais bien qui me les a donnés.

— Précisément.

— Tu serais jaloux, toi?

— Grosse bête!

A ce moment Baptistin frappa à la porte et entra.

— Tiens! tâche à te remonter d'un cran dans l'échelle, lui dit Protos, en montrant, sur la chaise, la veste, le col et la cravate qu'il avait rapportés d'outre-mur. — Tu vas accompagner ton client à travers la ville. Je ne te le prendrai que vers le soir. D'ici là ne le perds pas de vue.

C'est à Saint-Louis-des-Français qu'alla se confesser Amédée, de préférence à Saint-Pierre dont l'énormité l'écrasait. Baptistin le guidait; qui le mena ensuite à la poste. Comme il fallait s'y attendre, le *Mille-Pattes* y comptait des affidés. La petite carte de visite clouée sur le couvercle de la valise avait appris le nom de Fleurissoire à Baptistin; qui l'avait appris à Protos; celui-ci n'avait eu aucun mal à se faire remettre par un employé complaisant une lettre d'Arnica, ni aucun scrupule à la lire.

— C'est curieux! s'écria Fleurissoire, lorsqu'une heure

plus tard il vint à son tour réclamer son courrier — c'est curieux! on dirait que l'enveloppe a été ouverte.

— Ici cela arrive souvent, dit flegmatiquement Baptistin.

Heureusement la prudente Arnica ne risquait que des allusions très discrètes. La lettre était du reste très courte; elle recommandait simplement, sur les conseils de l'abbé Mure, d'aller voir à Naples le cardinal San-Felice S. B. " avant de rien essayer ". On ne pouvait souhaiter termes plus vagues et, partant, moins compromettants.

IV

Devant le Mausolée d'Adrien, qu'on appelle Château Saint-Ange, Fleurissoire éprouva une âcre déconvenue. La masse énorme de l'édifice s'élevait au milieu d'une cour intérieure, interdite au public et dans laquelle seuls les voyageurs munis de cartes pouvaient entrer. Même il était spécifié qu'ils devaient être accompagnés d'un gardien...

Certes ces précautions excessives confirmaient les soupçons d'Amédée; mais aussi bien lui permettaient-elles de mesurer l'extravagante difficulté de l'entreprise. Sur le quai à peu près désert à cette fin de jour, le long du mur extérieur qui défendait l'approche du château, Fleurissoire errait donc, enfin débarrassé de Baptistin. Devant le pont-levis de l'entrée, il passait, repassait, l'âme sombre et découragée, puis s'écartait jusqu'au bord du Tibre et tâchait, par-dessus cette première enceinte, d'en apercevoir un peu plus.

Il n'avait pas prêté jusqu'à présent attention à un prêtre (ils sont à Rome si nombreux!) assis non loin de là sur un banc, en apparence plongé dans son bréviaire, mais qui depuis longtemps l'observait. Le digne ecclésiastique portait long un abondant cheveu d'argent, et son teint jeune et frais, indice d'une vie pure, contrastait avec cet apanage de la vieillesse. Rien qu'au visage on aurait reconnu le prêtre, et à je ne sais quoi de décent qui le caractérise : le prêtre français. Comme Fleurissoire, pour la troisième fois, allait passer devant le banc, brusquement l'abbé se leva, vint à lui et, d'une voix qui tenait du sanglot :

— Quoi! je ne suis pas seul! Quoi! vous aussi vous le cherchez!

Ainsi disant, il cacha son visage dans ses mains où ses sanglots, trop longtemps contenus, éclatèrent. Puis, tout à coup, se ressaisissant :

— Imprudent! imprudent! cache tes larmes! Étouffe tes soupirs!... Et saisissant Amédée par le bras : — Ne restons pas ici, Monsieur, l'on nous observe. Déjà l'émotion dont je n'ai pu me défendre est remarquée.

Amédée à présent emboîtait le pas, stupéfait.

— Mais comment, — put-il enfin trouver à dire — mais comment avez-vous pu deviner pourquoi je suis ici?

— Veuille le ciel n'avoir permis qu'à moi de le surprendre; mais votre inquiétude, mais les tristes regards avec lesquels vous inspectiez ces lieux, pouvaient-ils échapper à celui qui depuis trois semaines les hante le jour et la nuit? Hélas, Monsieur! aussitôt que je vous ai vu, je ne sais quel pressentiment, quel avertissement d'en haut, m'a fait reconnaître pour sœur de la mienne votre... Attention! quelqu'un vient. Pour l'amour du ciel, feignez une grande insouciance.

Un porteur de légumes avançait sur le quai en sens inverse. Aussitôt, comme semblant poursuivre une phrase, sans changer de ton, mais sur un temps plus animé :

— Voilà pourquoi ces *Virginias*, si appréciés de certains fumeurs, ne s'allument jamais qu'à la flamme d'une bougie, après qu'on a retiré de leur intérieur cette fine paille qui a pour but de réserver à travers le cigare un petit conduit par où puisse circuler la fumée. Un *Virginia* qui ne tire pas bien n'est bon qu'à jeter. J'ai vu des fumeurs délicats en allumer, Monsieur, jusqu'à six avant d'en trouver un à leur convenance...

Et dès que l'autre fut dépassé :

— Avez-vous vu comme il nous regardait? Il fallait à tout prix donner le change.

— Quoi! s'écria Fleurissoire ahuri, se pourrait-il que ce vulgaire maraîcher soit un de ceux, lui aussi, dont nous devions nous défier?

— Monsieur, je ne le saurais affirmer; mais je le suppose. Les alentours de ce château sont particulièrement surveillés; des agents d'une police spéciale sans cesse y rôdent. Pour ne point éveiller les soupçons, ils se présentent sous les revêtements les plus divers. Ces gens sont si habiles, si habiles! et nous si crédules, si naturellement confiants! Mais si je vous disais, Monsieur, que j'ai failli tout compromettre en ne me méfiant pas d'un facchino sans apparence, à qui j'ai simplement, le soir de mon arrivée, laissé porter mon modeste bagage, de la gare au logement où je suis descendu. Il parlait français, et bien que je parle l'italien couramment depuis mon enfance... vous auriez éprouvé sans doute vous-même cette émotion, contre laquelle je n'ai pas su me défendre, en entendant sur terre étrangère parler ma langue maternelle... Eh bien, ce facchino...

— Il en était?

— Il en était. J'ai pu, à peu près, m'en convaincre. Heureusement, je n'avais que très peu parlé.

— Vous me faites trembler dit Fleurissoire; moi aussi,

le soir de mon arrivée, c'est-à-dire hier soir, je suis tombé entre les mains d'un guide à qui j'ai confié ma valise et qui parlait français.

— Juste ciel! fit le curé plein d'épouvante; avait-il nom peut-être : Baptistin?

— Baptistin : c'est lui! gémit Amédée qui sentit ses genoux fléchir.

— Malheureux : que lui avez-vous dit? — Le curé lui pressait le bras.

— Rien dont il me souvienne.

— Cherchez; cherchez! Rappelez-vous, au nom du ciel!...

— Non vraiment, balbutiait Amédée terrifié; je ne crois pas lui avoir rien dit.

— Qu'aurez-vous laissé voir?

— Non, rien, vraiment, je vous assure. Mais vous faites très bien de m'avertir.

— Dans quel hôtel vous a-t-il emmené?

— Je ne suis pas à l'hôtel; j'ai pris chambre particulière.

— Qu'à cela ne tienne. Enfin où êtes-vous descendu?

— Dans une petite rue que certainement vous ne pouvez pas connaître, bredouilla Fleurissoire extrêmement gêné. — Peu importe : je n'y resterai pas.

— Faites bien attention : si vous partez trop vite, vous aurez l'air de vous défier.

— Oui, peut-être. Vous avez raison : il vaut mieux que je n'en parte pas tout de suite.

— Mais combien je remercie le ciel qui vous a fait arriver à Rome aujourd'hui; un jour plus tard et je vous manquais! Demain, pas plus tard que demain, je dois aller à Naples voir une sainte et importante personne qui, en secret, s'occupe beaucoup de l'affaire.

— Ne serait-ce pas le cardinal San-Felice? demanda Fleurissoire tout tremblant d'émotion.

Le curé stupéfait fit deux pas en arrière :

— Comment le savez-vous? Puis, se rapprochant :
— Mais pourquoi m'étonner? Seul à Naples il est dans le secret de ce qui nous occupe.

— Vous... le connaissez bien?

— Si je le connais! Hélas! mon bon Monsieur, c'est à lui que je dois... Mais peu importe. Vous pensiez l'aller voir?

— Sans doute; s'il le faut.

— C'est l'homme le meilleur... D'un geste brusque, il s'essuya le coin de l'œil. — Naturellement vous savez où l'aller trouver?

— N'importe qui pourra me renseigner, je suppose. A Naples chacun le connaît.

— Certes! Mais vous n'avez pas l'intention, il va sans dire, de mettre tout Naples au courant de votre visite? Il ne se peut faire du reste, que l'on vous ait instruit de sa participation dans... ce que nous savons, et peut-être confié pour lui quelque message, sans vous avoir enseigné du même coup la manière de l'aborder.

— Excusez-moi, dit craintivement Fleurissoire, à qui Arnica n'avait transmis aucune indication de ce genre.

— Quoi! votre intention pouvait-elle être de l'aller trouver tout de go? même à l'archevêché peut-être! — l'abbé se mit à rire — et de vous ouvrir à lui sans détour!

— Je vous avoue que...

— Mais savez-vous bien, Monsieur, reprit l'autre d'un ton sévère, savez-vous bien que vous risquiez de le faire emprisonner à son tour?

Il marquait une contrariété si vive que Fleurissoire n'osait parler.

— Une cause si rare confiée à de tels imprudents! murmurait Protos, qui sortit de sa poche l'extrémité d'un

rosaire, puis le rentra, puis se signa fébrilement; puis, se
retournant vers son compagnon :

— Mais enfin, Monsieur, qui vous a prié de vous mêler
de cette affaire? De qui suivez-vous les instructions?

— Pardonnez-moi, Monsieur l'abbé, dit confusément
Fleurissoire, je n'ai reçu d'instruction de personne : je suis
une pauvre âme pleine d'angoisse et qui cherche de son
côté.

Ces humbles paroles semblèrent désarmer le curé; il
tendit la main à Fleurissoire :

— Je vous ai parlé durement... mais c'est que de tels
dangers nous entourent! Puis, après une courte hésitation :
Tenez! Voulez-vous m'accompagner demain? Nous irons
voir ensemble mon ami... et levant les yeux au ciel : Oui,
j'ose l'appeler : mon ami, reprit-il d'un ton pénétré. —
Arrêtons-nous un instant sur ce banc. Je vais écrire un mot
que nous signerons tous les deux, par lequel nous le pré-
viendrons de notre visite. Mis à la poste avant 6 heures
(18 heures, comme ils disent ici), il le recevra demain matin
et se tiendra prêt à nous accueillir vers midi; même, sans
doute, pourrons-nous déjeuner avec lui.

Ils s'assirent. Protos sortit un carnet de sa poche et sur
une feuille vierge commença, sous les yeux hagards
d'Amédée :

Ma vieille...

Puis, amusé de la stupeur de l'autre, il sourit, très calme

— Alors c'est au cardinal que vous auriez écrit, si on
vous avait laissé faire?

Et sur un ton plus amical il voulut bien renseigner
Amédée : Une fois par semaine le cardinal San-Felice
quittait l'archevêché clandestinement, en costume de simple
abbé, devenait le chapelain Bardolotti, se rendait sur les
pentes du Vomero et, dans une modeste villa, recevait

quelques rares intimes et les lettres secrètes que les initiés
lui adressaient sous ce faux nom. Mais même sous ce déguisement vulgaire il ne se sentait pas à l'abri : il n'était pas
bien sûr que les lettres qui lui parvenaient par la poste
ne fussent pas ouvertes, et suppliait que, dans la lettre,
rien de significatif ne fût dit, que, dans le ton de la lettre,
rien ne laissât pressentir son éminence, ne respirât, si peu
que ce soit, le respect.

A présent qu'il était de mèche, Amédée souriait à son
tour.

— *Ma vieille...* Voyons; qu'est-ce qu'on va lui dire à
cette chère vieille? plaisantait l'abbé, hésitant du bout du
crayon : — Ah! : *Je t'amène un vieux rigolo.* (Si! si! laissez :
je sais le ton qu'il y faut!) *Sors une bouteille ou deux de falerne,
que demain nous viendrons siffler avec toi. On rira.* — Tenez :
signez aussi.

— Je ferais peut-être mieux de ne pas mettre mon vrai
nom.

— Vous, cela n'a pas d'importance, reprit Protos qui,
à côté du nom d'Amédée Fleurissoire, écrivit : *Cave.*

— Oh! très habile!

— Quoi? cela vous étonne que je signe de ce nom-là :
Cave? Vous n'avez que celle du Vatican dans la tête.
Apprenez ceci, mon bon monsieur Fleurissoire : *Cave*
est un mot latin qui veut dire aussi : PRENDS GARDE!

Le tout était dit sur un ton si supérieur et si bizarre que
le pauvre Amédée sentit un frisson lui descendre le long
du dos. Cela ne dura qu'un instant; l'abbé Cave avait
déjà repris son ton affable, et, tendant à Fleurissoire l'enveloppe où il venait d'inscrire l'adresse apocryphe du cardinal :

— Voudrez-vous la mettre à la poste vous-même : c'est
plus prudent : les lettres des curés sont ouvertes. Et main-

tenant, séparons-nous; il ne faut pas qu'on nous voie
davantage ensemble. Convenons de nous retrouver demain
matin dans le train pour Naples de sept heures trente.
Troisième classe, n'est-ce pas. Naturellement je ne serai
pas dans ce costume (y songez-vous!). Vous me retrouverez
en simple campagnard calabrais. (C'est à cause de mes
cheveux que je voudrais bien n'être pas forcé de couper.)
Adieu! adieu!

Il s'éloignait en faisant avec la main de petits signes.

— Que béni soit le ciel qui m'a fait rencontrer ce digne
abbé! murmurait en s'en retournant Fleurissoire. Qu'eussé-je fait sans lui?

Et Protos, en s'en allant, murmurait :

— On t'en donnera, du cardinal!... C'est que, tout seul,
il était fichu d'aller trouver *le vrai!*

V

Fleurissoire se plaignant d'une grande fatigue, Carola
cette nuit l'avait laissé dormir, malgré l'intérêt qu'elle lui
portait et la tendresse apitoyée dont aussitôt elle s'était
éprise lorsqu'il lui eut avoué son peu d'expérience en
matière d'amour; dormir du moins autant que le lui permettait l'insupportable démangeaison, tout le long du
corps, d'une grande quantité de morsures, tant de puces
que de moustiques :

— Tu as tort de gratter comme ça! lui dit-elle le lendemain matin. Tu irrites. Oh! ce qu'il est enflammé, celui-ci!
et elle touchait le bouton du menton. Puis, tandis qu'il
s'apprêtait à partir : — Tiens! garde ça en souvenir de moi;
et elle ajustait aux manchettes du *pèlerin* ces bijoux saugrenus

que Protos se fâchait de voir sur elle. Amédée promit de revenir le soir même, ou au plus tard le lendemain.

— Tu me jures de ne pas lui faire de mal, répétait Carola, un instant après à Protos qui, tout costumé déjà, passait par la porte secrète ; et, comme il s'était mis en retard, ayant attendu pour paraître que Fleurissoire soit parti, il dut se faire conduire à la gare en voiture.

Sous son nouvel aspect, avec son sayon, ses braies brunes, ses sandales lacées par-dessus ses bas bleus, son brûle-gueule, son chapeau roux à petits bords plats, il faut reconnaître qu'il avait l'air moins d'un curé que d'un parfait brigand des Abruzzes. Fleurissoire qui faisait les cent pas devant le train hésitait à le reconnaître lorsqu'il le vit venir, un doigt sur la lèvre comme saint Pierre martyr, puis passer sans faire mine de le voir et disparaître dans un wagon en tête du train. Mais, au bout d'un instant, il reparut à la portière et, regardant dans la direction d'Amédée, fermant l'œil à demi, lui fit de la main, subrepticement, signe d'approcher ; et comme celui-ci s'apprêtait à monter :

— Veuillez vous assurer qu'il n'y a personne à côté, chuchota l'autre.

Personne ; et leur compartiment était à l'extrémité du wagon.

— Je vous suivais de loin dans la rue, reprit Protos, mais je n'ai pas voulu vous aborder, de crainte que l'on ne nous surprît ensemble.

— Comment se fait-il que je ne vous aie pas vu ? dit Fleurissoire. Je me suis retourné maintes fois, précisément pour m'assurer que je n'étais pas suivi. Votre conversation d'hier m'a plongé dans de telles alarmes ; je vois des espions partout.

— Il y paraît malheureusement beaucoup trop. Croyez-vous qu'il soit naturel de se retourner tous les vingt pas ?

— Quoi! vraiment, j'avais l'air...?

— Soupçonneux. Hélas! disons le mot : soupçonneux. C'est l'air compromettant par excellence.

— Et avec cela je n'ai même pas pu découvrir que vous me suiviez!... Par contre, depuis notre conversation, tous les passants que je rencontre, je leur trouve je ne sais quoi de louche dans l'allure. Je m'inquiète s'ils me regardent; et ceux qui ne me regardent pas, on dirait qu'ils font semblant de ne pas me voir. Je ne m'étais point rendu compte jusqu'aujourd'hui combien la présence des gens dans la rue est rarement justifiable. Il n'en est pas quatre sur douze dont l'occupation saute aux yeux. Ah! l'on peut dire que vous m'avez fait réfléchir! Vous savez : pour une âme naturellement crédule comme était la mienne, la défiance n'est pas facile; c'est un apprentissage...

— Bah! vous vous y ferez! et vite; vous verrez; au bout de quelque temps, cela devient une habitude. Hélas! j'ai dû la prendre... l'important est de garder l'air gai. Ah! pour votre gouverne : quand vous craignez d'être suivi, ne vous retournez pas; simplement laissez tomber à terre votre canne, ou votre parapluie, suivant le temps qu'il fait, ou votre mouchoir, et, tout en ramassant l'objet, la tête en bas, regardez entre les jambes, derrière vous, par un mouvement naturel. Je vous conseille de vous exercer. Mais dites-moi comment vous me trouvez dans ce costume? J'ai peur que le curé n'y reparaisse par endroits.

— Rassurez-vous, dit candidement Fleurissoire : personne d'autre que moi, j'en suis sûr, ne reconnaîtrait qui vous êtes. — Puis l'observant bienveillamment, et la tête un peu inclinée : Évidemment je retrouve à travers votre déguisement, en y regardant bien, je ne sais quoi d'ecclésiastique, et sous la jovialité de votre ton l'angoisse qui tous deux nous tourmente; mais quel empire il faut

que vous ayez sur vous, pour en laisser si peu paraître!
Quant à moi, j'ai fort à faire encore, je le vois bien; vos
conseils...

— Quels curieux boutons de manchettes vous avez,
interrompit Protos, amusé de reconnaître sur Fleurissoire
les boutons de Carola.

— C'est un cadeau, dit l'autre en rougissant.

Il faisait une chaleur torride. Protos regardant à la portière :

— Le Monte Cassino, dit-il. Vous distinguez là-haut
le couvent célèbre?

— Oui; je l'aperçois, dit Fleurissoire d'un air distrait.

— Vous n'êtes pas, je vois, très sensible aux paysages.

— Mais si, mais si, protesta Fleurissoire, je suis
sensible! Mais à quoi voulez-vous que je prenne intérêt tant
que durera mon inquiétude? C'est comme à Rome avec
les monuments; je n'ai rien vu; je n'ai pu chercher à
rien voir.

— Comme je vous comprends! dit Protos. Moi de
même, je vous l'ai dit, depuis que je suis à Rome j'ai
passé tout mon temps entre le Vatican et le Château Saint-
Ange.

— C'est dommage. Mais vous, vous connaissiez Rome
déjà.

Ainsi causaient nos voyageurs.

A Caserte ils descendirent, allant chacun de son côté
manger un peu de charcuterie et boire.

— De même à Naples, dit Protos, quand nous appro-
cherons de sa villa, nous nous séparerons s'il vous plaît.
Vous me suivrez de loin; comme il me faudra quelque
temps, surtout s'il n'est point seul, pour lui expliquer qui
vous êtes et le but de votre visite, vous n'entrerez qu'un
quart d'heure après moi.

— J'en profiterai pour me faire raser. Je n'ai pu trouver le temps ce matin.

Un tram les mena piazza Dante.

— A présent quittons-nous, dit Protos. La route est encore assez longue, mais il vaut mieux ainsi. Marchez à cinquante pas en arrière; et ne me regardez pas tout le temps comme si vous aviez peur de me perdre; et ne vous retournez pas non plus; vous vous feriez suivre. Ayez l'air gai.

Il partit de l'avant. Les yeux demi-baissés suivait Fleurissoire. La rue étroite était en pente raide; le soleil dardait; on suait; on était bousculé par une foule effervescente qui braillait, gesticulait, chantait et ahurissait Fleurissoire. Devant un piano mécanique des enfants demi-nus dansaient. A deux sous le billet, une loterie spontanée s'organisait autour d'un gros dindon plumé qu'à bout de bras levait une espèce de saltimbanque; pour plus de naturel, en passant, Protos prenait un billet et disparaissait dans la foule; empêché d'avancer, Fleurissoire un instant crut tout de bon l'avoir perdu; puis le retrouvait, passé l'encombrement, qui continuait à petits pas la montée, emportant sous son bras le dindon.

Les maisons enfin s'espaçaient, devenaient plus basses, et le peuple se raréfiait. Protos alentissait sa marche. Il s'arrêta, devant l'échoppe d'un barbier et, retourné vers Fleurissoire, cligna de l'œil; puis, à vingt pas plus loin, arrêté de nouveau devant une petite porte basse, sonna.

La devanture du barbier n'était pas particulièrement attrayante; mais pour désigner cette boutique l'abbé Cave avait sans doute ses raisons; Fleurissoire aurait dû, d'ailleurs, retourner loin en arrière pour en trouver une autre et sans doute non plus engageante que celle-ci. La porte, à cause de l'excessive chaleur restait ouverte; un rideau de grosse étamine retenait les mouches et laissait passer l'air, on le soulevait pour entrer; il entra.

Certes c'était un homme expert, ce barbier qui, précautionneux, d'un coin de serviette, après avoir savonné le menton d'Amédée, écartait la mousse et remettait à jour le bouton rougeoyant que son client craintif lui signalait. O somnolence, engourdissement chaleureux de cette petite échoppe tranquille! Amédée, la tête en arrière, à demi couché dans le fauteuil de cuir, s'abandonnait. Ah! pour un court instant tout au moins, oublier! ne plus penser au pape, aux moustiques, à Carola! Se croire à Pau, près d'Arnica; se croire ailleurs; ne plus bien savoir où l'on est... Il fermait les yeux puis, les rentrouvrant, distinguait comme dans un rêve, en face de lui, sur le mur, une femme aux cheveux défaits, issue de la mer napolitaine et rapportant du fond des flots, avec une voluptueuse sensation de fraîcheur, un étincelant flacon de lotion philocapillaire. Au-dessous de cette pancarte, d'autres flacons, sur une plaque de marbre, étaient rangés auprès d'un bâton de cosmétique, d'une houppe à poudre de riz, d'un davier, d'un peigne, d'une lancette, d'un pot de pommade, d'un bocal où naviguaient indolemment quelques sangsues, d'un second bocal qui renfermait le ruban d'un ver solitaire, d'un troisième enfin, sans couvercle, à demi plein d'une substance gélatineuse et sur le transparent cristal duquel une étiquette était collée où, écrit à la main en majuscules fantaisistes, on pouvait lire : ANTISEPTIC.

A présent le barbier, pour mener à perfection son ouvrage, étalait à nouveau sur le visage déjà rasé une mousse onctueuse et, du clair d'un second rasoir qu'il affilait au creux de sa main moite, raffinait. Amédée ne songeait plus qu'on l'attendait; il ne songeait plus à partir, s'endormait... C'est alors qu'un Sicilien à voix forte entra dans la boutique, crevant cette tranquillité; que le barbier, tout causant aussitôt, ne rasa plus que d'une main distraite et, d'un franc coup de lame, vlan! écornifla le bouton.

Amédée fit un cri, voulut porter la main à l'écorchure où perlait une goutte de sang :

— *Niente; Niente!* dit le barbier qui lui retint le bras puis, d'abondance, prit au fond d'un tiroir une pincée d'ouate jaunie qu'il trempa dans l'Antiseptic et appliqua sur le bobo.

Sans plus s'inquiéter s'il faisait retourner les passants, où courut Fleurissoire en redescendant vers la ville? Au premier pharmacien qu'il rencontre le voici qui montre son mal. L'homme de l'art sourit, vieillard verdâtre, d'aspect malsain, qui cueille dans une boîte un petit rond de taffetas, passe dessus sa large langue et...

Jaillissant hors de la boutique, Fleurissoire cracha de dégoût, arracha le taffetas gluant et pressant entre deux doigts son bouton, le fit saigner le plus possible. Puis, avec son mouchoir imbibé de salive, de sa propre salive cette fois, frotta. Puis regardant sa montre il s'affola, remonta la rue au pas de course et arriva devant la porte du cardinal, suant, soufflant, saignant, congestionné, avec un quart d'heure de retard.

VI

Protos le reçut un doigt sur les lèvres :

— Nous ne sommes pas seuls, dit-il rapidement. Tant que les serviteurs seront là, rien qui puisse donner l'éveil; ils parlent tous français; pas un mot, pas un geste qui puisse rien trahir; n'allez pas lui bailler du cardinal, au moins :

c'est Ciro Bardolotti, le chapelain, qui vous reçoit. Moi, je ne suis pas " l'abbé Cave "; je suis " Cave " tout court. C'est compris? — Et brusquement changeant de ton, à voix très forte et lui claquant l'épaule : — C'est lui, parbleu! C'est Amédée! Eh bien! mon colon, on peut dire que tu y as mis du temps, à ta barbe! Encore quelques minutes, et, per Baccho, nous nous mettions à table sans toi. Le dindon qui tourne à la broche déjà roussit comme un soleil couchant. — Puis tout bas : — Ah! cher Monsieur, qu'il m'est donc pénible de feindre! J'ai le cœur torturé... Puis avec éclat : — Que vois-je? on t'a coupé! Tu saignes! Dorino! cours à la grange; rapporte une toile d'araignée : c'est souverain pour les blessures...

Ainsi bouffonnant, il poussait Fleurissoire au travers du vestibule, vers un jardin intérieur formant terrasse où, sous la treille, un repas était préparé.

— Mon cher Bardolotti, je vous présente Monsieur de la Fleurissoire, mon cousin, le luron dont je vous ai parlé.

— Soyez le bienvenu, notre hôte, dit Bardolotti avec un grand geste, mais sans se lever du fauteuil dans lequel il était assis, puis, montrant ses pieds nus plongés dans un baquet d'eau claire :

— Le pédiluve ouvre mon appétit et me tire le sang de la tête.

C'était un drôle de petit homme tout replet et dont le glabre visage n'accusait âge ni sexe. Il était vêtu d'alpaga; rien dans son aspect ne dénonçait le haut dignitaire; il fallait être bien perspicace, ou averti autant que l'était Fleurissoire, pour découvrir sous la jovialité de son air, une discrète onction cardinalice. Il s'appuyait de côté sur la table et s'éventait nonchalamment avec une sorte de chapeau pointu fait d'une feuille de journal.

— Ah! je suis très sensible!... Ah! le plaisant jardin!...

balbutiait Fleurissoire également embarrassé pour parler et pour ne rien dire.

— Assez trempé! cria le cardinal. Çà! qu'on m'enlève ce bol! Assunta!

Une jeune servante accorte et rebondie s'empressa, prit le baquet et l'alla vider contre une plate-bande; ses tétons jaillis du corset frissonnaient sous sa chemisette; elle riait et s'attardait près de Protos, et Fleurissoire était gêné par l'éclat de ses bras nus. Dorino posa des fiaschi sur la table. Le soleil batifolait à travers le pampre, chatouillant d'une lumière inégale les plats sur la table sans nappe.

— Ici, pas de cérémonie, dit Bardolotti, et il se coiffa du journal, vous m'entendez à demi-mot, cher Monsieur.

Sur un ton autoritaire, scandant les syllabes et frappant du poing sur la table, l'abbé Cave à son tour reprit :

— Ici, pas de cérémonie.

Fleurissoire eut un fin clin d'œil. S'il l'entendait à demi-mot! oui, certes et point n'était besoin de le redire; mais en vain cherchait-il quelque phrase qui pût à la fois ne rien dire et tout signifier.

— Parlez! Parlez! soufflait Protos. Faites des calembours : ils comprennent très bien le français.

— Allons! Asseyez-vous, dit Ciro. Mon cher Cave, éventrez-nous cette pastèque et taillez-y des croissants turcs. Êtes-vous de ceux, Monsieur de la Fleurissoire, qui préfèrent les prétentieux melons du Nord, les sucrins, les prescots, que sais-je, les cantaloups, à nos ruisselants melons d'Italie?

— Rien ne vaut celui-ci, j'en suis sûr; mais permettez-moi de m'abstenir : j'ai le cœur un peu barbouillé, dit Amédée qui se gonflait de répugnance au souvenir du pharmacien.

— Des figues alors tout au moins! Dorino vient de les cueillir.

— Excusez-moi : pas davantage.

— Mauvais cela! Mauvais! Faites des calembours, lui glissa Protos à l'oreille; puis, à voix haute : Débarbouillons ce petit cœur avec le vin, et préparons-le pour la dinde. Assunta, verse à notre aimable invité.

Amédée dut trinquer et boire plus qu'il n'avait accoutumé. La chaleur et la fatigue aidant, il commença bientôt d'y voir trouble. Il plaisantait avec moins d'effort. Protos le fit chanter; sa voix était grêle, mais on s'extasia; Assunta voulut l'embrasser. Cependant du fond de sa foi délabrée s'élevait une angoisse indéfinissable; il riait pour ne pas pleurer. Il admirait cette aisance de Cave, ce naturel... Qui d'autre que Fleurissoire et que le cardinal eût jamais pu penser qu'il feignait? Bardolotti, du reste, en force de dissimulation, en possession de soi ne le cédait en rien à l'abbé et riait, et applaudissait, et bousculait paillardement Dorino, lorsque Cave, tenant Assunta renversée dans ses bras, s'écrasait le museau contre elle; et, comme Fleurissoire penché vers Cave, le cœur à demi crevé, murmurait :

— Comme vous devez souffrir! — Cave dans le dos d'Assunta lui prenait la main et la lui pressait sans rien dire, la face détournée et les regards levés au ciel.

Puis, brusquement dressé, Cave frappa dans ses mains :

— Çà! qu'on nous laisse seuls! Non : vous desservirez plus tard. Allez-vous-en. Via! Via!

Il s'assura que Dorino ni Assunta ne s'attardaient aux écoutes, et revint avec la mine subitement grave, allongée, tandis que le cardinal, en se passant la main sur le visage, en dépouilla d'un coup la profane et factice gaieté.

— Vous voyez, Monsieur de la Fleurissoire, mon enfant,

vous voyez à quoi nous en sommes réduits! Ah! cette
comédie! cette honteuse comédie!

— Elle nous fait prendre en horreur, reprit Protos,
jusqu'à la joie la plus honnête et jusqu'à la plus pure gaieté.

— Dieu vous saura gré, pauvre cher abbé Cave, reprenait le cardinal en se tournant vers Protos, — Dieu vous
récompensera de m'aider à vider cette coupe; — et, par
symbole, il achevait d'un coup son verre à demi plein,
tandis que sur ses traits le dégoût le plus douloureux se
peignait.

— Quoi! s'écriait Fleurissoire penché, se peut-il que
même dans cette retraite et sous ce vêtement d'emprunt
votre Éminence doive...

— Mon fils, appelez-moi Monsieur, simplement.

— Excusez : entre nous...

— Je tremble même seul.

— Ne pouvez-vous choisir vos serviteurs?

— On les choisit pour moi; et ces deux que vous avez
vus...

— Ah! si je lui disais, interrompit Protos, où ils vont
de ce pas rapporter nos moindres paroles!

— Se peut-il qu'à l'archevêché...

— Chut! pas de ces grands mots! Vous nous feriez
pendre. N'oubliez pas que c'est au chapelain Ciro Bardolotti que vous parlez.

— Je suis à leur merci, gémissait Ciro.

Et Protos, se penchant en avant sur la table où croisaient
ses coudes, tourné de trois quarts vers Ciro :

— Si pourtant je lui disais qu'on ne vous laisse seul pas
une heure de jour ou de nuit!

— Oui, quelque déguisement que je revête, reprenait le
faux cardinal, je ne suis jamais sûr de n'avoir pas quelque
police secrète à mes trousses.

— Quoi! l'on sait qui vous êtes, ici?

— Vous ne l'entendez point, dit Protos. Entre le cardinal San-Felice et le modeste Bardolotti, vous restez, je le dis devant Dieu, un des seuls qui puissiez vous vanter d'établir quelque ressemblance. Mais, comprendrez-vous ceci : leurs ennemis ne sont pas les mêmes; et tandis que le cardinal, du fond de son archevêché, contre les francs-maçons doit se défendre, le chapelain Bardolotti se voit guetté par...

— Les jésuites! interrompit éperdument le chapelain.

— C'est ce que je ne lui avais pas encore appris, ajoutait Protos.

— Ah! si nous avons les jésuites aussi contre nous, sanglota Fleurissoire. Mais qui l'eût supposé? Les jésuites! En êtes-vous sûr?

— Réfléchissez un peu; cela vous paraîtra tout naturel. Comprenez que cette nouvelle politique du Saint-Siège, toute de conciliation, d'accommodements, est bien faite pour leur plaire, et qu'ils trouvent leur compte dans les dernières encycliques. Et peut-être ils ne savent pas que le pape qui les promulgue n'est pas le *vrai;* mais ils seraient désolés qu'*il* changeât.

— Si je vous comprends bien, reprit Fleurissoire, les jésuites seraient alliés aux francs-maçons dans cette affaire.

— Où prenez-vous cela?

— Mais ce que monsieur Bardolotti me révèle à présent.

— Ne lui faites pas dire d'absurdité.

— Excusez-moi; j'entends si peu la politique.

— C'est pourquoi ne cherchez pas plus loin que ce qu'on vous en dit : Deux grands partis sont en présence : La Loge et la Compagnie de Jésus; et comme nous, qui sommes du secret, ne pouvons sans nous découvrir réclamer appui de l'un ni de l'autre, nous les avons tous contre nous.

— Hein! qu'est-ce que vous pensez de ça? demanda le cardinal.

Fleurissoire ne pensait plus à rien; il se sentait complètement abasourdi.

— Tous contre soi! reprit Protos, il en va toujours ainsi quand on possède la vérité.

— Ah! que j'étais heureux quand je ne savais rien, gémit Fleurissoire. Hélas! jamais plus, à présent, je ne pourrai ne pas savoir!...

— Il ne vous dit pas tout encore, continua Protos en lui touchant doucement l'épaule. Préparez-vous au plus terrible... puis, se penchant, à voix basse : Malgré toutes les précautions, le secret a suinté; quelques aigrefins en profitent qui, dans les départements pieux, vont quêtant de famille en famille et, toujours au nom de la Croisade, récoltent pour eux l'argent qui devrait nous revenir.

— Mais c'est affreux!

— Ajoutez à cela, dit Bardolotti, qu'ils jettent le discrédit et la suspicion sur nous-mêmes, et nous forcent à redoubler d'astuce et de circonspection.

— Tenez! lisez ceci, dit Protos en tendant à Fleurissoire un numéro de *La Croix;* le journal est d'avant-hier. Ce simple entrefilet en dit long!

" *Nous ne saurions trop mettre en garde*, lut Fleurissoire, *les âmes dévotes contre les agissements de faux ecclésiastiques, et particulièrement d'un pseudo-chanoine qui se prétend chargé de mission secrète et qui, abusant de la crédulité, arrive à soutirer de l'argent pour une œuvre qui se baptise : CROISADE POUR LA DÉLIVRANCE DU PAPE. Le titre seul de cette œuvre en dénonce l'absurdité.* "

Fleurissoire sentait le sol mouvoir et céder sous ses pieds.

— A qui se fier, pourtant! Mais si je vous disais à mon tour, Messieurs, que c'est peut-être à cause de ce filou — je veux dire : le faux chanoine — que je suis présentement parmi vous!

L'abbé Cave regarda gravement le cardinal, puis frappant du poing sur la table :

— Eh bien! je m'en doutais, s'écria-t-il.

— Tout me porte à craindre à présent, continua Fleurissoire, que la personne par qui je suis au courant de l'affaire, n'ait été victime elle-même des agissements de ce bandit.

— Cela ne m'étonnerait pas, dit Protos.

— Vous voyez dès lors, reprit Bardolotti, combien notre position est difficile, entre ces aigrefins qui s'emparent de notre rôle, et la police qui, voulant les saisir, risque de nous prendre pour eux.

— C'est-à-dire, gémit Fleurissoire, qu'on ne sait plus où se tenir; je ne vois que danger partout.

— Vous étonnerez-vous encore, après cela, des excès de notre prudence? dit Bardolotti.

— Et comprendrez-vous, continua Protos, que nous n'hésitions pas, par instants, à revêtir la livrée du péché et à feindre quelque complaisance en face des plus coupables joies!

— Hélas! balbutia Fleurissoire, vous du moins, vous vous en tenez à la feinte, et c'est pour cacher vos vertus que vous simulez le péché. Mais moi... Et comme les fumées du vin se mêlaient aux nuages de la tristesse et les rots de l'ivresse aux hoquets des sanglots, penché du côté de Protos, il commença par rendre son déjeuner, puis raconta confusément la soirée avec Carola et le deuil de son pucelage. Bardolotti et l'abbé Cave avaient grand mal à ne pas s'esclaffer.

— Enfin, mon fils, vous vous êtes confessé? demanda le cardinal plein de sollicitude.

— Le lendemain matin.

— Le prêtre vous a donné l'absolution?

— Beaucoup trop facilement. C'est précisément là ce qui me tourmente... Mais pouvais-je lui confier qu'il n'avait pas affaire à un pèlerin ordinaire; révéler ce qui m'amenait dans ce pays?... Non, non! c'en est fait à présent; cette mission de choix réclamait un serviteur sans tache. J'étais tout désigné. A présent, c'en est fait. J'ai déchu! Et de nouveau le secouaient les sanglots, tandis que, se frappant la poitrine à petits coups, il répétait : — Je ne suis plus digne! Je ne suis plus digne, puis reprenait dans une sorte de mélopée : — Ah! vous qui m'écoutez à présent et qui connaissez ma détresse, jugez-moi, condamnez-moi, punissez-moi... Dites-moi quelle extraordinaire pénitence me lavera de ce crime extraordinaire? quel châtiment?

Protos et Bardolotti se regardaient. Le dernier enfin, se levant, commença de tapoter Amédée sur l'épaule :

— Voyons, voyons! mon fils. Il ne faut pourtant pas se laisser aller comme ça. Eh bien, oui! vous avez péché. Mais, que diable! on n'en a pas moins besoin de vous. (Vous êtes tout sali; tenez, prenez cette serviette; frottez!) Toutefois, je comprends votre angoisse, et puisque vous en appelez à nous, nous voulons vous présenter le moyen de vous racheter. (Vous vous y prenez mal. Laissez-moi vous aider.)

— Oh! ne vous donnez pas la peine. Merci! merci, faisait Fleurissoire; et Bardolotti, tout en le nettoyant, continuait :

— Toutefois, je comprends vos scrupules; et, pour les respecter, je vous offrirai tout d'abord une petite besogne sans éclat, qui vous fournira l'occasion de vous relever et mettra votre dévouement à l'épreuve.

— C'est tout ce que j'attends.

— Voyons, cher abbé Cave, vous avez sur vous ce petit chèque?

Protos sortit un papier de la poche intérieure de son sayon.

— Circonvenus comme nous sommes, reprenait le cardinal, nous avons parfois quelque mal à toucher les espèces des offrandes que quelques bonnes âmes secrètement sollicitées nous envoient. Surveillés à la fois par les francs-maçons et par les jésuites, par la police et par les bandits, il ne convient pas qu'on nous voie présenter des chèques ou des mandats aux guichets des postes et des banques où notre personne pourrait être reconnue. Les aigrefins dont vous parlait tantôt l'abbé Cave ont jeté sur les collectes un tel discrédit! (Protos cependant pianotait impatiemment sur la table.) Bref, voici un modeste petit chèque de six mille francs que je vous prie, mon cher fils, de bien vouloir toucher à notre place; il est tiré sur le Credito Commerciale de Rome par la duchesse de Ponte-Cavallo; bien qu'adressé à l'archevêque, le nom du destinataire par prudence est laissé en blanc, de manière que le puisse toucher n'importe quel porteur; vous le signerez sans scrupule de votre vrai nom, qui n'éveillera pas les soupçons. Veillez bien à ne pas vous le laisser voler, ni... Qu'avez-vous, mon cher abbé Cave? Vous semblez nerveux.

— Allez toujours.

— Ni la somme que vous me rapporterez dans... voyons, vous rentrez à Rome cette nuit; vous pourrez reprendre demain soir le train rapide de six heures; à dix heures vous arriverez à Naples de nouveau et me trouverez sur le quai de la gare à vous attendre. Après quoi nous verrons à vous occuper à quelque besogne plus relevée... Non, mon fils, ne baisez pas ma main; vous voyez bien qu'elle est sans bague.

Il toucha le front d'Amédée à demi prosterné devant lui, et Protos qui le prenait par le bras le secouant doucement :

— Allons! buvez un coup avant de vous mettre en route. Je regrette bien de ne pouvoir vous raccompagner à Rome; mais divers soins me retiennent ici; et mieux vaut qu'on ne nous voie pas ensemble. Adieu. Embrassons-nous, cher Fleurissoire. Dieu vous garde! et je le remercie de m'avoir mis à même de vous connaître.

Il raccompagna Fleurissoire jusqu'à la porte, et le quittant :

— Ah! Monsieur, disait-il encore, que pensez-vous du cardinal? N'est-il pas pénible de voir ce qu'ont fait les persécutions, d'une si noble intelligence!

Puis revenant auprès du pseudo :

— Abruti! c'est malin ce que tu as inventé là! de faire endosser ton chèque par un maladroit qui n'a même pas de passeport et que je vais devoir tenir à l'œil.

Mais Bardolotti, lourd de somnolence, laissait rouler sa tête sur la table en murmurant :

— Il faut occuper les vieillards.

Protos alla dans une chambre de la villa dépouiller sa perruque et son costume de paysan; il reparut bientôt après, rajeuni de trente ans, sous les traits d'un employé de magasin ou de banque, de l'aspect le plus subalterne. Il n'avait pas trop de temps pour attraper le train qu'il savait devoir emporter aussi Fleurissoire, et partit sans prendre congé de Bardolotti qui dormait.

VII

Fleurissoire regagna Rome et la via dei Vecchierelli le soir même. Il était extrêmement fatigué et obtint de Carola qu'elle le laissât dormir.

Le lendemain, dès l'éveil, son bouton, au palper, lui parut bizarre; il l'examina dans une glace et constata qu'une squame jaunâtre en recouvrait l'écorniflure; le tout avait un méchant aspect. Comme à ce moment il entendit Carola circuler sur le palier, il l'appela et la pria d'examiner le mal. Elle approcha Fleurissoire de la fenêtre et affirma dès le premier coup d'œil :

— Ça n'est pas ce que tu crois.

A vrai dire Amédée ne songeait pas bien particulièrement à *cela*, mais l'effort de Carola pour le rassurer l'inquiéta au contraire. Car enfin, du moment qu'elle affirmait que ce n'était pas *cela*, c'était donc que ç'aurait pu l'être. Après tout, était-elle bien sûre que ça ne l'était pas? Et que ce fût *cela*, lui le trouvait tout naturel; car enfin il avait péché; il méritait que ça le fût. Ça devait l'être. Un frisson lui coula le long du dos.

— Comment t'es-tu fait ça? demanda-t-elle.

Ah! qu'importait la cause occasionnelle, coupure du rasoir ou salive du pharmacien : la cause profonde, celle qui lui méritait ce châtiment, pouvait-il décemment la lui dire? Et la comprendrait-elle? Sans doute elle en rirait... Comme elle répétait sa question :

— C'est un barbier, répondit-il.

— Tu devrais mettre quelque chose dessus.

Cette sollicitude balaya ses derniers doutes; ce qu'elle en avait dit d'abord n'était que pour le rassurer; il se voyait déjà le visage et le corps mangés de pustules, objet d'horreur pour Arnica; ses yeux s'emplirent de larmes.

— Alors tu crois que...

— Mais non, ma petite biche; il ne faut pas te frapper comme ça; tu as l'air d'une pompe funèbre. D'abord, si c'était ça, on n'en pourrait rien savoir encore.

— Si! si... Ah! c'est bien fait pour moi! C'est bien fait! reprenait-il.

Elle s'attendrit :

— Et puis, ça n'est jamais comme ça que ça commence; veux-tu que j'appelle la patronne, qui te le dira?... Non? Eh bien! tu devrais sortir un peu pour te distraire; et boire un coup de marsala. — Elle garda le silence un instant. Enfin n'y tenant plus :

— Écoute, reprit-elle : j'ai à te parler de choses sérieuses. Tu n'as pas fait la rencontre, hier, d'une espèce de curé à cheveux blancs?

Comment savait-elle cela? Stupéfait Fleurissoire demanda :

— Pourquoi?

— Eh bien... elle hésita encore; le regarda, le vit si pâle, qu'elle continua, dans un élan : — Eh bien! défie-toi de lui. Crois-moi, ma pauvre poule, il va te plumer. Je ne devrais pas te dire ça, mais... défie-toi de lui.

Amédée s'apprêtait à sortir, complètement bouleversé par ces derniers propos; il était déjà dans l'escalier, elle le rappela :

— Surtout, si tu le revois, ne lui dis pas que je t'ai parlé. Ce serait comme si tu me tuais.

La vie devenait décidément trop compliquée pour Amédée. Au surplus il se sentait les pieds gelés, le front brûlant, et les idées fort mal en place. Comment s'y reconnaître à présent, si l'abbé Cave lui-même n'était qu'un

farceur?... Alors, le cardinal aussi, peut-être?... Mais ce
chèque, pourtant! Il sortit le papier de sa poche, le palpa,
rassura sa réalité. Non! non, ce n'était pas possible! Carola
se trompait. Et puis, que savait-elle des intérêts mystérieux
qui forçaient ce pauvre Cave à jouer double jeu? Sans
doute fallait-il voir là, plutôt, quelque mesquine rancune
de Baptistin, contre qui précisément le bon abbé l'avait
mis en garde... N'importe! Il ouvrirait l'œil encore plus ·
il se défierait désormais de Cave, comme il se défiait déjà de
Baptistin; et qui sait si, de Carola même...?

— Voilà bien, se disait-il, à la fois la conséquence et la
preuve de ce vice initial, de ce trébuchement du Saint-
Siège : tout le reste à la fois chavirait.

A qui se fier, sinon au pape? et dès que cette pierre
angulaire cédait, sur laquelle posait l'Église, rien ne méritait plus d'être vrai.

Amédée marchait à petits pas pressés, dans la direction
de la poste; car il espérait bien trouver quelques nouvelles
du pays, honnêtes, où rasseoir enfin sa confiance fatiguée.
Le brouillard léger du matin et cette profuse lumière où
s'évaporait et s'irréalisait chaque objet favorisaient encore
son vertige; il s'avançait comme en un rêve, doutant de la
solidité du sol, des murs, et de la sérieuse existence des
passants qu'il croisait; doutant surtout de sa présence à
Rome... Il se pinçait alors pour s'arracher d'un mauvais
rêve, se retrouver à Pau, dans son lit, près d'Arnica
déjà levée, qui, selon sa coutume, penchée vers lui, allait
enfin lui demander : — Avez-vous bien dormi, mon
ami?

A la poste l'employé le reconnut, et ne fit point difficulté
pour lui remettre une nouvelle lettre de son épouse.

... *Je viens d'apprendre par Valentine de Saint-Prix*, lui disait
Arnica, *que Julius lui aussi est à Rome, appelé par un congrès.*

*Comme je me réjouis en songeant que tu vas pouvoir le rencontrer!
Malheureusement Valentine n'a pas pu me donner son adresse.
Elle croit qu'il est descendu au Grand-Hôtel, mais elle n'en est
pas sûre. Elle sait seulement qu'il doit être reçu au Vatican
jeudi matin; il a écrit à l'avance au cardinal Pazzi pour obtenir
une audience. Il vient de Milan où il a été voir Anthime qui est
très malheureux parce qu'il n'obtient pas ce que lui avait promis
l'Église après son procès; alors Julius veut aller trouver notre
Saint-Père pour lui demander justice; car naturellement il ne sait
rien encore. Il te racontera sa visite et toi tu pourras l'éclairer.*

*J'espère que tu prends bien des précautions contre le mauvais
air et que tu ne te fatigues pas trop. Gaston vient me voir tous les
jours; tu nous manques beaucoup. Comme je serai contente quand
tu nous annonceras ton retour... Etc.*

Et griffonnés en travers, au crayon, sur la quatrième
page, ces quelques mots de Blafaphas :

*Si tu vas à Naples, tu devrais t'informer comment ils font
le trou dans le macaroni. Je suis sur le chemin d'une nouvelle
découverte.*

Une claironnante joie envahit le cœur d'Amédée, mêlée
d'une certaine gêne : Ce jeudi, jour de l'audience, c'était
le jourd'hui même. Il n'osait donner à blanchir et le linge
allait lui manquer. Il le craignait du moins. Il avait remis ce
matin son faux col de la veille; mais qui cessa tout aussitôt
de lui paraître suffisamment propre quand il apprit qu'il
pourrait rencontrer Julius. La joie qu'il eût eue de cette
conjonction en fut contrariée. Repasser via dei Vecchierelli, il n'y fallait songer, s'il voulait surprendre son beau-
frère à la sortie de l'audience; et cela ne le troublait point
tant que de le relancer au Grand-Hôtel. Du moins prit-il
soin de retourner ses manchettes; quant au col, il le recou-
vrit de son foulard, ce qui présentait en outre cet avantage
de cacher à peu près son bouton.

Mais qu'importaient ces vétilles? Le vrai c'est que Fleu-rissoire se sentait ineffablement tonifié par cette lettre, et que la perspective de reprendre contact avec un des siens, avec sa vie passée, brusquement remettait à leur place les monstres enfantés par son imagination de voyageur. Carola, l'abbé Cave, le cardinal, tout cela flottait devant lui comme un rêve qu'interrompt tout à coup le chant du coq. Pourquoi donc avait-il quitté Pau? Que signifiait cette fable absurde qui l'avait dérangé de son bonheur? Parbleu! Il y avait un pape; et dans quelques instants Julius allait pouvoir déclarer: je l'ai vu! Un pape et cela suffisait. Dieu pouvait-il autoriser sa substitution, monstrueuse, à laquelle lui, Fleurissoire, n'aurait certes point cru, sans cet absurde orgueil d'avoir à jouer un rôle dans l'affaire?

Amédée marchait à petits pas pressés; il avait peine à se retenir de courir. Il reprenait enfin confiance, tandis que tout, autour de lui, reprenait poids rassurant, mesure, position naturelle et vraisemblable réalité. Il tenait son chapeau de paille à la main; quand il arriva devant la basilique, il fut pris d'une si noble ivresse qu'il commença par faire le tour de la fontaine de droite; et, tandis qu'il passait sous le vent du jet d'eau, se laissant humecter le front, il souriait à l'arc-en-ciel.

Tout à coup il stoppa. Là, près de lui, assis sur le soubassement du quatrième pilier de la colonnade, n'apercevait-il pas Julius? Il hésitait à le reconnaître, tant, si sa mise était décente, sa tenue l'était peu: le comte de Baraglioul avait posé son cronstadt de paille noire à côté de lui, sur le bec en corbin de sa canne fichée entre deux pavés, et, tout soucieux de la solennité du lieu, le pied droit sur le genou gauche, tel un prophète de la Sixtine, il maintenait sur son genou droit un cahier; par instants, abattant tout à coup sur les feuilles un crayon haut levé, il écrivait, attentif si

uniquement à la dictée d'une inspiration si pressante qu'A-
médée devant lui aurait pu faire la buciloque sans qu'il le
vît. Tout en écrivant il parlait; et si le froissement du jet
d'eau couvrait le bruit de ses paroles, du moins distin-
guait-on ses lèvres s'agiter.

Amédée s'approcha, contournant discrètement le pilier.
Comme il allait toucher l'autre à l'épaule :

— ET DANS CE CAS, QUE NOUS IMPORTE! déclama Julius,
qui consigna ces mots, en fin de page, dans son carnet, puis
remit son crayon dans sa poche et, se levant brusquement,
donna du nez contre Amédée.

— Par le Saint-Père, que faites-vous ici?

Amédée tremblant d'émotion, bégayait et ne pouvait
dire; il pressait convulsivement une main de Julius dans
les deux siennes. Julius cependant l'examinait :

— Mon pauvre ami, comme vous voilà fait!

La Providence avait bien mal loti Julius : des deux
beaux-frères qui lui restaient, l'un tournait au cagot; l'autre
était marmiteux. Depuis moins de trois ans qu'il n'avait
revu Amédée, il le trouvait vieilli de plus de douze; ses
joues étaient rentrées, sa pomme d'Adam ressortie; l'amarante de son foulard exagérait encore sa pâleur; son menton
tremblait; ses yeux vairons roulaient d'une manière qui
eût dû être pathétique et n'était que bouffonne; il avait
rapporté de son voyage de la veille un enrouement mystérieux, de sorte que semblaient venir de loin ses paroles. Tout
occupé par sa pensée :

— Alors, vous l'avez vu? dit-il.

Et tout occupé par la sienne :

— Qui? demanda Julius.

Ce *qui?* retentit en Amédée comme un glas et comme un
blasphème. Il précisa discrètement :

— Je croyais que vous sortiez du Vatican?

— En effet. Excusez-moi : je n'y pensais plus... Si vous saviez ce qui m'arrive!

Ses yeux brillaient; on eût cru qu'il allait jaillir de lui-même.

— Oh! s'il vous plaît, supplia Fleurissoire : vous me direz cela ensuite; parlez-moi d'abord de votre visite. Je suis si impatient de savoir...

— Cela vous intéresse?

— Bientôt vous comprendrez combien. Parlez! parlez, je vous en prie.

— Eh bien! voilà! commença Julius, empoignant par un bras Fleurissoire et l'entraînant loin de Saint-Pierre; — Peut-être aurez-vous su dans quel dénuement sa conversion avait laissé notre Anthime! C'est en vain qu'il attend encore ce que lui promettait l'Église, en récompense de ce que lui ont ravi les francs-maçons. Anthime a été joué : il faut le reconnaître... Mon cher ami, vous prendrez comme vous voudrez cette aventure : moi je la tiens pour une farce qualifiée; mais sans laquelle je ne verrais peut-être pas aussi clair dans ce qui nous occupe aujourd'hui, et dont je suis pressé de vous entretenir. Voici : *un être d'inconséquence!* c'est beaucoup dire... et sans doute cette apparente inconséquence cache-t-elle une séquence plus subtile et cachée; l'important c'est que ce qui le fasse agir, ce ne soit plus une simple raison d'intérêt ou, comme vous dites ordinairement : qu'il n'obéisse plus à des motifs intéressés.

— Je ne vous suis plus bien, dit Amédée.

— C'est vrai, pardonnez-moi : je m'écartais de ma visite. J'avais donc résolu de prendre en main l'affaire d'Anthime... Ah! mon ami, si vous aviez vu l'appartement qu'il occupe à Milan! — Vous ne pouvez pas rester ici, lui ai-je dit tout de suite. Et quand je pense à cette malheureuse Véronique! Mais lui tourne à l'ascète, au capucin; il ne permet pas qu'on le plaigne; ni surtout qu'on accuse le clergé! — Mon ami, lui ai-je dit encore : je consens que le haut clergé ne soit pas coupable, mais alors c'est qu'il n'est pas averti. Permettez-moi d'aller l'instruire.

— Je croyais que le cardinal Pazzi... glissa Fleurissoire.

— Oui, ça n'avait pas réussi. Vous comprenez, ces hauts dignitaires, chacun a peur de se commettre. Il fallait pour se saisir de l'affaire quelqu'un qui ne fût pas de la partie; moi par exemple. Car admirez la manière dont se font les découvertes! et j'entends : les plus importantes : on croirait à une illumination soudaine : au fond on n'arrêtait pas d'y penser. C'est ainsi que depuis longtemps, je m'inquiétais tout à la fois de l'excès de logique de mes personnages et de leur insuffisante détermination.

— Je crains, dit doucement Amédée, que vous ne vous écartiez de nouveau.

— Nullement, reprit Julius, c'est vous qui ne suivez pas ma pensée. Bref, c'est à notre Saint-Père lui-même que je résolus d'adresser la supplique; et j'allai la lui porter ce matin.

— Alors? dites vite : vous l'avez vu?

— Mon cher Amédée, si vous m'interrompez tout le temps... Eh bien! on n'imagine pas ce que c'est difficile de le voir.

— Parbleu! fit Amédée.

— Vous dites?

— Je parlerai tantôt.

— D'abord j'ai dû complètement renoncer à lui faire tenir ma supplique. Je la gardais en main; c'était un décent rouleau de papier; mais, dès la seconde antichambre (ou la troisième; je ne me souviens plus bien), un grand gaillard, costumé de noir et de rouge, me l'a poliment enlevée.

A petit bruit Amédée commençait à rire comme quel-qu'un de renseigné et qui sait ce qu'il sait.

— Dans l'antichambre suivante on m'a débarrassé de mon chapeau, qu'on a posé sur une table. Dans la cinquième ou la sixième, où j'attendis longtemps en compagnie de deux dames et de trois prélats, une sorte de chambellan est venu me chercher et m'a introduit dans la salle voisine où, sitôt en face du Saint-Père (il était, autant que j'ai pu m'en rendre compte, juché sur une sorte de trône que protégeait une sorte de baldaquin), il m'a invité à me pros-terner, ce que j'ai fait; de sorte que j'ai cessé de voir.

— Vous n'êtes pourtant pas resté si longtemps incliné, et ni le front si bas que vous n'ayez...

— Mon cher Amédée, vous en parlez à votre aise; vous ne savez donc pas quels aveugles fait de nous le respect? Et, outre que je n'osais pas relever la tête, une façon de majordome, avec une espèce de règle, chaque fois que je commençais à parler d'Anthime, me donnait sur la nuque des manières de petits coups, qui m'inclinaient à neuf.

— Du moins *Lui*, vous a-t-il parlé.

— Oui, de mon livre, qu'il m'a avoué n'avoir pas lu.

— Mon cher Julius, reprit Amédée après un moment de silence, ce que vous me dites là est de la plus haute impor-tance. Ainsi vous ne l'avez pas vu : et de tout votre récit je retiens qu'il est étrangement malaisé de le voir. Ah! tout ceci confirme hélas! l'appréhension la plus cruelle. Julius, je dois vous le dire à présent... mais venez par ici; cette rue si fréquentée...

Il entraîna dans un vicolo presque désert Julius, amusé plutôt, qui se laissait faire :

— Ce que je vais vous confier est si grave... Surtout n'en laissez rien voir au-dehors. Ayons l'air de parler de matières indifférentes et préparez-vous à entendre quelque

chose de terrible : Julius, mon ami, celui que vous avez vu
ce matin...

— Que je n'ai pas vu, voulez-vous dire.

— Précisément... n'est pas *le vrai*.

— Vous dites?

— Je dis que vous n'avez pas pu voir le pape, pour cette
monstrueuse raison que... je le tiens de source clandestine
et certaine : le vrai pape est confisqué.

Cette étonnante révélation eut sur Julius l'effet le plus
inattendu : il quitta soudain le bras d'Amédée et trottant
par-devant, tout au travers du vicolo, il criait :

— Ah! non. Ah! ça, par exemple, non, non, non!

Puis se rapprochant d'Amédée :

— Comment! J'arrive, et à grand-peine, à me purger
l'esprit de tout cela; je me convaincs- qu'il n'y a rien à
attendre de là, rien à espérer, rien à admettre; qu'Anthime
a été joué, que tous nous sommes joués, que ce sont là des
pharmacies! et qu'il ne reste plus qu'à en rire... Eh quoi! je
me libère; et je n'en suis pas plus tôt consolé que vous
venez me dire : Halte là! Il y a maldonne : Recommencez!
Ah! non, par exemple! Ah! ça : non jamais! Je m'en tiens
là. Si celui-là n'est pas le vrai : Tant pis!

Fleurissoire était consterné.

— Mais, disait-il, l'Église... et il déplorait que son
enrouement ne lui permît pas d'éloquence.

— Mais, si l'Église elle-même est jouée?

Julius se mit de biais devant lui, lui coupant à demi la
route et, sur un ton persifleur et tranchant qu'il n'avait pas
accoutumé :

— Eh bien! qu'est-ce-que-ce-la-vous-fait?

Alors Fleurissoire eut un doute; un doute neuf, informe,
atroce et qui vaguement se fondait dans l'épaisseur de son
malaise : Julius, Julius lui-même, ce Julius auquel il parlait,

Julius à quoi se raccrochait son attente et sa bonne foi désolée, ce Julius non plus n'était pas le vrai Julius.

— Quoi! c'est vous qui parlez ainsi! Vous sur qui je comptais! Vous Julius! Comte de Baraglioul, dont les écrits...

— Ne me parlez pas de mes écrits, je vous en prie. Vrai ou faux, j'ai assez de ce que m'en a dit ce matin votre pape! Et je compte bien, grâce à ma découverte, que les suivants seront meilleurs. Car il me tarde de vous parler de choses sérieuses. Vous déjeunez avec moi, n'est-ce pas?

— Volontiers; mais je vous quitterai de bonne heure. On m'attend à Naples ce soir... oui, pour affaires dont je vous parlerai. Vous ne m'emmenez pas au Grand-Hôtel, j'espère.

— Non; nous irons au Colonna.

De son côté, Julius se souciait peu d'être vu au Grand-Hôtel en compagnie d'un débris tel que Fleurissoire; et celui-ci, qui se sentait pâle et défait, souffrait déjà de la pleine lumière où l'avait fait asseoir son beau-frère, à cette table de restaurant, bien en face de lui et sous son regard scrutateur. Si encore ce regard avait cherché le sien : mais non, il le sentait qui s'adressait, au ras du foulard amarante, à cet endroit honteux de son cou où le bouton suspect bourgeonnait, et qu'il sentait à découvert. Et tandis que le garçon apportait les hors-d'œuvre :

— Vous devriez prendre des bains sulfureux, dit Baraglioul.

— Ce n'est pas ce que vous croyez, protesta Fleurissoire.

— Tant mieux, reprit Baraglioul, qui du reste ne croyait rien; je vous donnais ce conseil en passant. Puis, se campant en arrière, et sur un ton professoral :

— Eh bien! voici, cher Amédée : M'est avis que, depuis La Rochefoucauld, et à sa suite, nous nous sommes fourrés dedans; que le profit n'est pas toujours ce qui mène l'homme; qu'il y a des actions désintéressées...

— Je l'espère bien, interrompit candidement Fleurissoire.

— Ne me comprenez pas si vite, je vous en prie. Par *désintéressé*, j'entends : gratuit. Et que le mal, ce que l'on appelle : le mal, peut être aussi gratuit que le bien.

— Mais, dans ce cas, pourquoi le faire?

— Précisément! par luxe, par besoin de dépense, par jeu. Car je prétends que les âmes les plus désintéressées ne sont pas nécessairement les meilleures — au sens catholique du mot; au contraire, à ce point de vue catholique, l'âme la mieux dressée est celle qui tient le mieux ses comptes.

— Et qui se sent toujours en reste avec Dieu, ajouta benoîtement Fleurissoire qui tâchait de se maintenir à hauteur.

Julius était manifestement irrité par les interruptions de son beau-frère; elles lui paraissaient saugrenues.

— Certainement le mépris de ce qui peut servir, reprit-il, est signe d'une certaine aristocratie de l'âme... Donc échappée au catéchisme, à la complaisance, au calcul, admettrons-nous une âme qui ne tienne plus de comptes du tout?

Baraglioul attendait un assentiment; mais :

— Non! non! mille fois non : nous ne l'admettrons pas! s'écria véhémentement Fleurissoire; puis soudain effrayé par l'éclat de sa propre voix, il se pencha vers Baraglioul.

— Parlons plus bas; l'on nous écoute.

— Bah! Qui voulez-vous que ce que nous disons intéresse?

— Ah! mon ami, je vois que vous ne savez pas comment ils sont dans ce pays. Pour moi, je commence à les connaître. Depuis quatre jours que je vis parmi eux, je ne sors pas des aventures! et qui m'ont inculqué de vive force, je vous jure, une précaution que je n'avais pas naturelle. On est traqué.

— Vous vous imaginez tout cela.

— Je le voudrais, hélas! et que tout cela n'existât que dans mon cerveau. Mais, que voulez-vous? lorsque le faux prend la place du vrai, il faut bien que le vrai se dissimule. Chargé de la mission que je vous dirai tout à l'heure, entre la Loge et la Société de Jésus, c'en est fait de moi. Je suis suspect à tous; tout m'est suspect. Mais si je vous avouais, mon ami, que tout à l'heure, et devant cette moquerie que vous opposiez à ma peine, j'ai pu douter si c'était au vrai Julius que je parlais, ou non plutôt à quelque contrefaçon de vous-même... Mais si je vous disais que, ce matin, avant de vous avoir rencontré, j'ai pu douter de ma propre réalité, douter d'être moi-même ici, à Rome, ou si plutôt je rêvais simplement d'y être et n'allais pas bientôt me réveiller à Pau, doucement couché près d'Arnica, au milieu de mon ordinaire.

— Mon ami, vous aviez la fièvre.

Fleurissoire lui saisit la main, et d'une voix pathétique :

— La fièvre! vous l'avez dit : j'ai la fièvre. Une fièvre dont on ne guérit point, et dont on ne veut pas guérir. Une fièvre, je l'avoue, dont j'espérais que vous seriez saisi tout de même lorsque vous viendriez à connaître ce que je vous ai révélé; une fièvre que j'espérais vous communiquer, je l'avoue, afin qu'ensemble nous brûlions, mon frère... Mais non! je le sens bien à présent, c'est solitaire que s'enfonce l'obscur sentier que je suis, que je dois suivre; et même ce que vous m'avez dit m'y oblige... Eh quoi! Julius, serait-il vrai? Alors on ne LE voit pas? On ne parvient pas à le voir?...

— Mon ami, reprit Julius, en se dégageant de l'étreinte de Fleurissoire qui s'exaltait, et lui posant à son tour une

main sur le bras : — Mon ami, je m'en vais vous avouer
quelque chose que je n'osais vous dire tout à l'heure : Quand
je me suis trouvé en présence du Saint-Père... eh bien;
j'ai été pris d'une distraction.

— D'une distraction! répéta Fleurissoire abasourdi.

— Oui : brusquement je me suis surpris pensant à
autre chose.

— Dois-je croire à ce que vous dites?

— Car c'est précisément alors que j'ai eu ma révélation.
Mais, me disais-je, poursuivant ma première idée, — mais,
à le supposer gratuit, l'acte mauvais, le crime, le voici tout
inimputable; et imprenable celui qui l'a commis.

— Quoi! vous y revenez, soupira désespérément Amédée.

— Car le mobile, le motif du crime, c'est l'anse par où
saisir le criminel. Et si, comme le juge prétendra : *Is fecit
cui prodest...* vous avez fait votre droit, n'est-ce pas?

— Excusez-moi, dit Amédée dont la sueur emperlait
le front.

Mais à ce moment, tout brusquement, le dialogue se
rompit : le chasseur du restaurant apportait sur une assiette
une enveloppe où le nom de Fleurissoire était inscrit.
Celui-ci plein de stupeur ouvrit l'enveloppe, et, sur le billet
qu'elle contenait, lut ces mots :

*Vous n'avez pas une minute à perdre. Le train de Naples
part à trois heures. Demandez à Monsieur de Baraglioul de vous
accompagner au Crédit Commercial où il est connu et pourra
témoigner de votre identité. Cave.*

— Eh bien! que vous disais-je? reprit Amédée à voix
basse, plutôt soulagé par l'incident.

— En effet, voici qui n'est pas ordinaire. Comment
diable sait-on mon nom? et que je suis en relation avec le
Crédit Commercial.

— Ces gens-là savent tout, je vous dis.

— Le ton de ce billet ne me plaît pas. Celui qui l'écrivit aurait du moins pu s'excuser de nous interrompre.

— A quoi bon? Il sait bien que ma mission passe avant tout... C'est un chèque à toucher... Non; impossible de vous en parler ici; vous voyez bien qu'on nous surveille. — Puis tirant sa montre : En effet, nous n'avons que le temps.

Il sonna le garçon.

—Laissez! Laissez, dit Julius : c'est moi qui vous invite. Le Crédit n'est pas loin; au besoin nous prendrons un fiacre. Ne vous affolez pas... Ah! je voulais vous dire encore : si vous allez à Naples ce soir, disposez donc de ce billet circulaire. Il est à mon nom; mais qu'importe. (Car Julius aimait d'obliger.) Je l'ai pris inconsidérément à Paris, pensant descendre plus au sud. Mais me voici retenu par un congrès. Combien de temps pensez-vous rester là-bas?

— Le moins possible. J'espère être de retour dès demain.

— Je vous attendrai donc pour dîner.

Au Crédit Commercial, grâce à la présentation du comte de Baraglioul, on remit à Fleurissoire, sans difficultés, contre le chèque, six billets qu'il glissa dans la poche intérieure de son veston. Cependant il avait raconté, tant bien que mal, à son beau-frère, l'histoire du chèque, du cardinal et de l'abbé; Baraglioul, qui l'accompagna jusqu'à la gare, ne l'écoutait que d'une oreille distraite.

Entre-temps Fleurissoire entra chez un chemisier pour s'acheter un faux col, mais qu'il ne mit pas aussitôt, par crainte de faire trop attendre Julius qui patientait devant la boutique.

— Vous n'emportez pas de valise? demanda celui-ci lorsque l'autre l'eut rejoint.

Certes Fleurissoire fût bien volontiers passé prendre son

châle, ses affaires de toilette et de nuit; mais avouer à Baraglioul la via dei Vecchierelli!...

— Oh! pour une nuit!... fit-il lestement. Du reste nous n'avons pas le temps de passer à mon hôtel.

— Au fait, où donc êtes-vous descendu?

— Derrière le Colisée, répondit l'autre à tout hasard. C'était comme s'il avait dit : Sous les ponts.

Julius encore une fois le regarda.

— Quel drôle d'homme vous faites!

Paraissait-il vraiment si bizarre? Fleurissoire s'épongea le front. Ils firent quelques pas en silence, devant la gare, où ils étaient arrivés.

— Allons; il faut nous séparer, dit Baraglioul, en lui tendant la main.

— Vous ne... vous ne viendriez pas avec moi? balbutia craintivement Fleurissoire. Je ne sais trop pourquoi, ça m'inquiète un peu de partir seul...

— Vous êtes bien venu seul jusqu'à Rome. Que voulez-vous qu'il vous advienne? Excusez-moi de vous quitter avant le quai, mais la vue d'un train qui s'en va me cause une tristesse inexprimable. Adieu! Bon voyage! et demain rapportez-moi au Grand-Hôtel mon billet de retour pour Paris.

LIVRE CINQUIÈME

LAFCADIO

> — There is only one remedy! One thing alone can cure us from being ourselves!...
> — Yes; strictly speaking, the question is not how to get cured, but how to live.
>
> JOSEPH CONRAD. *Lord Jim*, p. 226.

I

Après que, par l'intermédiaire de Julius et l'assistance du notaire, Lafcadio fut entré en possession des quarante mille livres de rente que feu le comte Juste-Agénor de Baraglioul lui laissait, son grand souci fut de n'en laisser rien paraître.

— Dans de la vaisselle d'or peut-être, s'était-il dit alors, mais tu mangeras des mêmes plats.

Il ne prenait pas garde à ceci, ou ne savait pas encore que, pour lui, désormais, le goût des mets allait changer. Ou du moins, comme il trouvait égal plaisir à lutter contre l'appétit, à céder à la gourmandise, maintenant que ne le pressait plus le besoin, sa résistance se relâchait. Parlons sans images : d'aristocratique nature, il n'avait permis à la nécessité de lui imposer aucun geste — qu'il se fût permis à présent, par malice, par jeu, et par l'amusement de préférer à son intérêt son plaisir.

Se conformant aux volontés du comte, il n'avait donc pas pris le deuil. Une mortifiante déconvenue l'attendait chez les fournisseurs du marquis de Gesvres, son dernier oncle, lorsqu'il se présenta pour monter sa garde-robe. Comme il se recommandait de celui-ci, le tailleur sortit quelques factures que le marquis avait négligé de payer.

Lafcadio répugnait aux filouteries; il feignit aussitôt d'être venu précisément pour régler ces notes, et paya comptant les nouveaux vêtements. Même aventure chez le bottier. Quant au chemisier, Lafcadio jugea plus prudent de s'adresser à un autre.

— L'oncle de Gesvres, si seulement je savais son adresse; j'aurais plaisir à lui envoyer acquittées ses factures, pensait Lafcadio. Cela me vaudrait son mépris; mais je suis Baraglioul et désormais, coquin de marquis, je te débarque de mon cœur.

Rien ne le retenait à Paris, ni ailleurs; traversant l'Italie à petites journées, il gagnait Brindisi d'où il pensait s'embarquer sur quelque Lloyd, pour Java.

Tout seul dans le wagon qui l'éloignait de Rome il avait, malgré la chaleur, jeté en travers de ses genoux un moelleux plaid couleur de thé, sur lequel il se plaisait à contempler ses mains gantées couleur de cendre. A travers la souple et floconneuse étoffe de son complet, il respirait le bien-être par tous ses pores; le cou non serré dans un col presque haut mais peu empesé, d'où s'échappait, mince comme un orvet, une cravate en foulard bronzé, sur la chemise à plis. Il se sentait bien dans sa peau, bien dans ses vêtements, bien dans ses bottes — de souples mocassins taillés dans le même daim que ses gants; dans cette prison molle, son pied se tendait, se cambrait, se sentait vivre. Son chapeau de castor, rabattu devant ses yeux, le séparait du paysage; il fumait une pipette de genièvre et abandonnait ses pensées à leur mouvement naturel. Il pensait :

" — La vieille, avec un petit nuage blanc au-dessus de sa tête et qui me le montrait en disant : la pluie, ça ne sera pas encore pour aujourd'hui!... cette vieille dont j'ai chargé le sac sur mes épaules (par fantaisie il avait fait à pied, en quatre jours la traversée des Apennins entre Bologne et

Florence, couchant à Covigliajo) et que j'ai embrassée au haut de la côte... ça fait partie de ce que le curé de Covigliajo appelait : les bonnes actions, — je l'aurais tout aussi bien serrée à la gorge — d'une main qui ne tremble pas — quand j'ai senti cette sale peau ridée sous mon doigt... Ah! comme elle caressait le col de ma veste, pour en enlever la poussière! en disant : *figlio mio! carino!...* D'où me venait cette intense joie quand, après et encore en sueur, à l'ombre de ce grand châtaignier, et pourtant sans fumer, je me suis étendu sur la mousse? Je me sentais d'étreinte assez large pour embrasser l'entière humanité; ou l'étrangler peut-être... Que peu de chose la vie humaine! Et que je risquerais la mienne agilement, si seulement s'offrait quelque belle prouesse un peu joliment téméraire à oser!... Je ne peux tout de même pas me faire alpiniste ou aviateur... Qu'est-ce que me conseillerait ce claquemuré de Julius?... Fâcheux qu'il soit emporté! ça m'aurait plu d'avoir un frère.

"Pauvre Julius! Tant de gens qui écrivent et si peu de gens qui lisent! C'est un fait : on lit de moins en moins... si j'en juge par moi, comme disait l'autre. Ça finira par une catastrophe; quelque belle catastrophe, tout imprégnée d'horreur! on foutra l'imprimé par-dessus bord; et ce sera miracle si le meilleur ne rejoint pas au fond le pire.

"Mais la curiosité, c'est de savoir ce que la vieille aurait dit si j'avais commencé de serrer... On imagine *ce qui arriverait si*, mais il reste toujours un petit laps par où l'imprévu se fait jour. Rien ne se passe jamais tout à fait comme on aurait cru... C'est là ce qui me porte à agir... On fait si peu!... "Que tout ce qui peut être soit!" c'est comme ça que je m'explique la Création... Amoureux de ce qui pourrait être... Si j'étais l'État, je me ferais enfermer.

"Pas très étourdissante la correspondance de ce M. Gaspard Flamand que j'ai été réclamer comme mienne, à la poste restante de Bologne. Rien qui valût la peine de lui être renvoyé.

" Dieu! qu'on rencontre peu de gens dont on souhaiterait fouiller les valises!... Et pourtant qu'il en est peu dont on n'obtiendrait avec tel mot, tel geste, quelque bizarre réaction!... Belle collection de marionnettes; mais les fils sont trop apparents, par ma foi! On ne croise plus dans les rues que jean-foutres et paltoquets. Est-ce le fait d'un honnête homme, Lafcadio, je vous le demande, de prendre cette farce au sérieux?... Allons! plions bagage; il est temps! En fuite vers un nouveau monde; quittons l'Europe en imprimant notre talon nu sur le sol!... S'il est encore à Bornéo, au profond des forêts, quelque anthropopithèque attardé, là-bas, nous irons supputer les ressources d'une possible humanité!...

" J'aurais voulu revoir Protos. Sans doute il a cinglé vers l'Amérique. Il n'estimait, prétendait-il, que les barbares de Chicago... Pas assez voluptueux pour mon goût, ces loups : Je suis de nature féline. Passons.

" Le curé de Covigliajo, si débonnaire, ne se montrait pas d'humeur à dépraver beaucoup l'enfant avec lequel il causait. Assurément il en avait la garde. Volontiers j'en aurais fait mon camarade; non du curé, parbleu! mais du petit... Quels beaux yeux il levait vers moi! qui cherchaient aussi inquiètement mon regard que mon regard cherchait le sien; mais que je détournais aussitôt... Il n'avait pas cinq ans de moins que moi. Oui : quatorze à seize ans, pas plus... Qu'est-ce que j'étais à cet âge? Un *stripling* plein de convoitise, que j'aimerais rencontrer aujourd'hui; je crois que je me serais beaucoup plu... Faby, les premiers temps, était confus de se sentir épris de moi; il a bien fait de s'en confesser à ma mère : après quoi son cœur s'est senti plus

léger. Mais combien sa retenue m'agaçait !... Quand plus
tard, dans l'Aurès, je lui ai raconté cela sous la tente, nous
en avons bien ri... Volontiers, je le reverrais aujourd'hui ;
c'est fâcheux qu'il soit mort. Passons.

" Le vrai, c'est que j'espérais déplaire au curé. Je cherchais ce que je pourrais lui dire de désagréable : je n'ai
rien su trouver que de charmant... Que j'ai de mal à ne
paraître pas séduisant ! Je ne peux pourtant pas passer au
brou de noix mon visage, comme me le conseillait Carola ;
ou me mettre à manger de l'ail... Ah ! ne pensons plus à
cette pauvre fille ? Les plus médiocres de mes plaisirs, c'est
à elle que je les dois... Oh ! d'où sort cet étrange vieillard ? "

Par la porte à coulisse du couloir, Amédée Fleurissoire
venait d'entrer.

Fleurissoire avait voyagé seul dans son compartiment
jusqu'à la station de Frosinone. A cet arrêt du train, un
Italien entre deux âges était monté dans le wagon, s'était
assis non loin de lui et avait commencé à le dévisager d'un
air sombre qui promptement invita Fleurissoire à déguerpir.

Dans le compartiment voisin, la jeune grâce de Lafcadio,
tout au contraire, l'attira :

— Ah ! l'aimable garçon ! presque un enfant encore,
pensa-t-il. — En vacances sans doute. Qu'il est bien mis !
Son regard est candide. Quel repos ce sera de dépouiller
ma défiance ! S'il savait le français je lui parlerais volontiers...

Il s'assit en face de lui, dans un coin près de la portière.
Lafcadio releva le bord de son castor et commença de le
considérer d'un œil morne, indifférent en apparence.

— Entre ce sale magot et moi, quoi de commun ?
songeait-il. On dirait qu'il se croit malin. Qu'a-t-il à me
sourire ainsi ? Pense-t-il que je vais l'embrasser ! Se peut-il
qu'il y ait des femmes pour caresser encore les vieillards !...

Il serait bien surpris sans doute d'apprendre que je sais lire
écriture ou imprimé, couramment, à l'envers ou par trans-
parence, au verso, dans les glaces ou sur les buvards;
trois mois d'études et deux années d'apprentissage; et
cela pour l'amour de l'art. Cadio, mon petit, le problème se
pose : faire accroc à cette destinée. Mais par où?... Tiens!
Je vais lui offrir du cachou. Qu'il accepte ou non, nous
verrons toujours bien dans quelle langue.

— Grazio! grazio! — dit Fleurissoire en refusant.

— Rien à faire avec le tapir. Dormons! reprend à part
soi Lafcadio, et rabattant son castor sur ses yeux, il tâche de
faire un rêve d'un souvenir de sa jeunesse :

Il se revoit, du temps qu'on l'appelait Cadio, dans ce
château perdu des Karpathes, qu'ils occupèrent, sa mère
et lui, deux étés, en compagnie de Baldi l'Italien et du
prince Wladimir Bielkowski. Sa chambre est à l'extrémité
d'un couloir; c'est la première année qu'il couche loin de sa
mère... La poignée de cuivre de sa porte, en forme de tête
de lion, est retenue par un gros clou... Ah! que les souvenirs
de ses sensations sont précis!... Une nuit il est tiré du plus
profond de son sommeil et croit rêver encore en voyant
au chevet de son lit l'oncle Wladimir, qui lui paraît plus
gigantesque encore que de coutume, fait comme un cauchemar, drapé dans un vaste cafetan couleur rouille, la
moustache retombée et coiffé d'un extravagant bonnet de
nuit dressé comme un bonnet persan, qui l'allonge jusqu'à
n'en plus finir. Il tient à la main une lanterne sourde qu'il
pose sur la table, près du lit, à côté de la montre de Cadio
en repoussant un peu un sac de billes. La première pensée
de Cadio c'est que sa mère est morte, ou malade; il va questionner Bielkowski, quand celui-ci pose un doigt sur ses
lèvres et lui fait signe de se lever. En hâte l'enfant passe la
robe de chambre qu'il revêt au sortir du bain, que son oncle

a prise au dos d'une chaise et lui tend; tout cela, les sourcils
roulés et d'un air à ne point plaisanter. Mais Cadio a si
grande confiance en Wladi qu'il n'a pas peur un seul
instant; il enfile ses pantoufles, et le suit fort intrigué par
ses manières et, comme toujours, en appétit d'amusement.

Ils sortent dans le couloir; Wladimir avance gravement,
mystérieusement, portant loin devant lui la lanterne; on
dirait qu'ils accomplissent un rite ou qu'ils suivent une
procession; Cadio chancelle un peu car il est encore ivre de
rêves; mais la curiosité bientôt a nettoyé son cerveau.
Devant la porte de sa mère, tous deux s'arrêtent un instant,
prêtant l'oreille : pas un bruit; la maison dort. Arrivés sur
le palier, ils entendent le ronflement d'un valet dont la
chambre ouvre près du grenier. Ils descendent. Wladi pose
des pieds de coton sur les marches; au moindre craquement
il se retourne d'un air si furieux que Cadio a peine à ne pas
rire. Il indique une marche en particulier, faisant signe de la
franchir, aussi sérieusement que s'il y eût eu péril. Cadio ne
gâte point son plaisir à se demander si ces précautions sont
nécessaires, non plus que rien de ce qu'ils font; il se prête
au jeu et, glissant le long de la rampe, franchit le degré...
Il est si prodigieusement amusé par Wladi qu'il traverse-
rait du feu pour le suivre.

Quand ils ont atteint le rez-de-chaussée, sur l'avant-
dernière marche tous deux s'assoient pour souffler un
instant; Wladi hoche la tête et fait entendre un petit soupir
du nez, comme pour dire : ah! nous l'avons échappé belle.
Ils repartent. Quelles précautions devant la porte du salon!
La lanterne, qu'à présent tient Cadio, éclaire la pièce si
bizarrement que l'enfant la reconnaît à peine; elle lui paraît
démesurée; un peu de lune glisse par l'entrebâillement
d'un volet; tout baigne dans une tranquillité surnaturelle;
on dirait un étang où l'on va jeter clandestinement l'éper-

vier; et il reconnaît bien et à sa place chaque chose, mais, pour la première fois, il en comprend l'étrangeté.

Wladi s'approche du piano, l'entrouvre, caresse du bout du doigt quelques touches qui répondent très faiblement. Tout à coup le couvercle échappe et fait en retombant un boucan formidable (Lafcadio sursaute encore en y songeant). Wladi se précipite sur la lanterne, qu'il aveugle, puis s'écroule dans un fauteuil; Cadio glisse sous une table; tous deux restent longtemps dans le noir, sans remuer, aux écoutes... mais rien; rien n'a bougé dans la maison; au loin, un chien jappe à la lune. Alors, doucement, lentement, Wladi redonne un peu de lumière.

Dans la salle à manger, de quel air il tourne la clef du buffet! L'enfant sait bien que ce n'est là qu'un jeu, mais l'oncle y semble pris lui-même. Il renifle comme pour flairer où cela sent le meilleur; s'empare d'une bouteille de tokay; en verse deux petits verres où tremper des biscuits; il invite à trinquer, un doigt sur les lèvres; le cristal sonne imperceptiblement... La collation nocturne terminée, Wladi s'occupe à tout remettre en ordre, il va rincer avec Cadio les verres dans le baquet de l'office, les essuie, rebouche la bouteille, referme la boîte à biscuits, époussette méticuleusement les miettes, regarde une dernière fois le tout bien à sa place dans l'armoire... Ni vu, ni connu.

Wladi réaccompagne Cadio jusqu'à sa chambre et le quitte avec un profond salut. Cadio reprend son somme où il l'avait laissé, et se demandera le lendemain s'il n'a pas rêvé tout cela.

Drôle de jeu pour un enfant! Qu'eût pensé de cela Julius?

Lafcadio, bien que les yeux fermés, ne dort pas; il ne parvient pas à dormir.

— Le petit vieux, que je sens là, croit que je dors, pensait-il. Si j'entrouvrais les yeux, je le verrais qui me regarde. Protos prétendait qu'il est particulièrement difficile de feindre de dormir tout en prêtant attention; il se faisait fort de reconnaître le faux sommeil à ce léger petit tremblement des paupières... que je réprime en ce moment. Protos lui-même y serait pris...

Le soleil cependant s'était couché; déjà s'atténuaient les reflets derniers de sa gloire, que Fleurissoire ému contemplait. Tout à coup, au plafond voûté du wagon, l'électricité jaillit dans le lustre; éclairage trop brutal, auprès de ce crépuscule attendri; et, par crainte aussi qu'il ne troublât le sommeil de son voisin, Fleurissoire tourna le commutateur, ce qui n'amena point l'obscurité complète, mais dériva le courant du lustre central au profit d'une lampe veilleuse azurée. Au gré de Fleurissoire cette ampoule bleue versait trop de lumière encore; il donna un tour de plus à la clavette; la veilleuse s'éteignit, mais s'allumèrent aussitôt deux appliques pariétales, plus désobligeantes que le lustre du milieu; un tour encore, et la veilleuse de nouveau : il s'y tint.

— A-t-il bientôt fini de jouer avec la lumière? pensait Lafcadio impatienté. Que fait-il à présent? (Non! je ne lèverai pas les paupières.) Il est debout... Serait-il attiré par ma valise? Bravo! Il constate qu'elle est ouverte. Pour en perdre la clef aussitôt, c'était bien adroit d'y avoir fait mettre, à Milan, une serrure compliquée qu'on a dû crocheter à Bologne! Un cadenas du moins se remplace... Dieu me damne : il enlève sa veste? Ah! tout de même regardons.

Sans attention pour la valise de Lafcadio, Fleurissoire, occupé à son nouveau faux col, avait mis bas sa veste pour pouvoir le boutonner plus aisément; mais le madapolam empesé, dur comme du carton, résistait à tous ses efforts.

— Il n'a pas l'air heureux, reprenait à part soi Lafcadio. Il doit souffrir d'une fistule, ou de quelque affection cachée. L'aiderai-je! Il n'y parviendra pas tout seul...

Si pourtant! le col enfin admit le bouton. Fleurissoire reprit alors, sur le coussin où il l'avait posée près de son chapeau, de sa veste et de ses manchettes, sa cravate et, s'approchant de la portière, chercha comme Narcisse sur l'onde, sur la vitre, à distinguer du paysage son reflet.

— Il n'y voit pas assez.

Lafcadio redonna de la lumière. Le train longeait alors un talus, qu'on voyait à travers la vitre, éclairé par cette lumière de chaque compartiment projetée; cela formait une suite de carrés clairs qui dansaient le long de la voie et se déformaient tour à tour selon chaque accident du terrain. On apercevait au milieu de l'un d'eux, danser l'ombre falote de Fleurissoire; les autres carrés étaient vides.

— Qui le verrait? pensait Lafcadio. Là, tout près de ma main, sous ma main, cette double fermeture, que je peux faire jouer aisément; cette porte qui, cédant tout à coup, le laisserait crouler en avant; une petite poussée suffirait; il tomberait dans la nuit comme une masse; même on n'entendrait pas un cri... Et demain, en route pour les îles!... Qui le saurait?

La cravate était mise, un petit nœud marin tout fait; à présent Fleurissoire avait repris une manchette et l'assujettissait au poignet droit; et, ce faisant, il examinait, au-dessus de la place où il était assis tout à l'heure, la photographie (une des quatre qui décoraient le compartiment) de quelque palais près de la mer.

— Un crime immotivé, continuait Lafcadio : quel embarras pour la police! Au demeurant, sur ce sacré talus, n'importe qui peut, d'un compartiment voisin, remarquer qu'une portière s'ouvre, et voir l'ombre du Chinois cabrioler. Du moins les rideaux du couloir sont tirés... Ce n'est pas tant des événements que j'ai curiosité, que de moi-même. Tel se croit capable de tout, qui, devant que d'agir, recule... Qu'il y a loin, entre l'imagination et le fait!... Et pas plus le droit de reprendre son coup qu'aux échecs. Bah! qui prévoirait tous les risques, le jeu perdrait tout intérêt!... Entre l'imagination d'un fait et... Tiens! le talus cesse. Nous sommes sur un pont, je crois; une rivière...

Sur le fond de la vitre, à présent noire, les reflets apparaissaient plus clairement, Fleurissoire se pencha pour rectifier la position de sa cravate.

— Là, sous ma main, cette double fermeture — tandis qu'il est distrait et regarde au loin devant lui — joue, ma foi! plus aisément encore qu'on eût cru. Si je puis compter jusqu'à douze, sans me presser, avant de voir dans la campagne quelque feu, le tapir est sauvé. Je commence : Une; deux; trois; quatre; (lentement! lentement!) cinq; six; sept; huit; neuf... Dix, un feu...

II

Fleurissoire ne poussa pas un cri. Sous la poussée de Lafcadio et en face du gouffre brusquement ouvert devant lui, il fit pour se retenir un grand geste, sa main gauche agrippa le cadre lisse de la portière, tandis qu'à demi retourné il rejetait la droite en arrière par-dessus Lafcadio, envoyant rouler sous la banquette, à l'autre extrémité du wagon, la seconde manchette qu'il était au moment de passer.

Lafcadio sentit s'abattre sur sa nuque une griffe affreuse, baissa la tête et donna une seconde poussée plus impatiente que la première; les ongles lui raclèrent le col; et Fleurissoire ne trouva plus où se raccrocher que le chapeau de castor qu'il saisit désespérément et qu'il emporta dans sa chute.

— A présent, du sang-froid, se dit Lafcadio. Ne claquons pas la portière : on pourrait entendre à côté.

Il tira la portière à lui, contre le vent, avec effort, puis la referma doucement.

— Il m'a laissé son hideux chapeau plat; qu'un peu plus, d'un coup de pied, j'allais envoyer le rejoindre; mais il m'a pris le mien, qui lui suffit. Bonne précaution que j'ai eue d'en enlever les initiales!... Mais, sur la coiffe, reste la marque du chapelier, à qui l'on ne commande pas des feutres de castor tous les jours... Tant pis, c'est joué... Qu'on puisse croire à un accident... Non, puisque j'ai refermé la portière... Faire stopper le train?... Allons, allons; Cadio, pas de retouches : tout est comme tu l'as voulu.

" Preuve que je me possède parfaitement : je vais d'abord regarder tranquillement ce que représente cette photographie que le vieux contemplait tout à l'heure... *Miramar!* Aucun désir d'aller voir ça... On manque d'air ici.

Il ouvrit la fenêtre.

— L'animal m'a griffé. Je saigne... Il m'a fait très mal. Un peu d'eau là-dessus; la toilette est au bout du couloir, à gauche. Emportons un second mouchoir.

Il atteignit, dans le filet au-dessus de lui, sa valise et l'ouvrit sur le coussin de la banquette, à l'endroit où il était précédemment assis.

— Si je croise quelqu'un dans le couloir : du calme... Non, mon cœur ne bat plus. Allons-y!... Ah! sa veste; aisément je la peux cacher sous la mienne. Des papiers dans la poche : de quoi nous occuper pendant le reste du trajet.

C'était un pauvre veston élimé, couleur réglisse, de drap mince, rêche et vulgaire, et qui le dégoûtait un peu, que Lafcadio suspendit à une patère, dans l'étroit cabinet-toilette où il s'enferma; puis, penché sur le lavabo, il commença de s'examiner dans le miroir.

Son cou, à deux endroits, était assez vilainement balafré; une étroite traînée rouge partait de derrière la nuque et, tournant vers la gauche, venait mourir au-dessus de l'oreille; une autre, plus courte, franche écorchure celle-là, deux centimètres au-dessus de la première, montait droit vers l'oreille dont elle avait atteint et un peu décollé le lobe. Cela saignait; mais moins qu'il n'aurait pu craindre; par contre, la douleur, qu'il n'avait pas sentie d'abord, s'éveillait assez vive. Il trempa son mouchoir dans la cuvette, étancha le sang, puis lava le mouchoir.

— Pas de quoi tacher un faux col, pensa-t-il en se rajustant; tout va bien.

Il allait ressortir; à ce moment la locomotive siffla; une file de lumières passa derrière la vitre dépolie du closet. C'était Capoue. A cette station si proche de l'accident, descendre et courir dans la nuit se ressaisir de son castor... cette pensée surgit éblouissante. Il regrettait beaucoup son chapeau souple, léger, soyeux, tiède et frais à la fois, infroissable, d'une élégance si discrète. Pourtant il n'écoutait jamais tout entier son désir et n'aimait pas céder, fût-ce à lui-même. Mais par-dessus tout il avait l'indécision en horreur, et gardait depuis nombre d'années, comme un fétiche, le dé d'un jeu de tric-trac que dans le temps lui avait donné Baldi; il le portait toujours sur lui, il l'avait là, dans le gousset de son gilet :

— Si j'amène six, se dit-il en sortant le dé, je descends!

Il amena cinq.

— Je descends quand même. Vite! le veston du sinistré!...
A présent, ma valise...

Il courut à son compartiment.

Ah! combien, devant l'étrangeté d'un fait, l'exclamation
semble inutile! Plus surprenant est l'événement, et plus mon
récit sera simple. Je dirai donc tout net ceci : Quand Lafcadio
rentra dans le compartiment pour y reprendre sa valise, la
valise n'y était plus.

Il crut d'abord s'être trompé, ressortit dans le couloir...
Si fait... Si fait; c'est bien ici qu'il était tantôt. Voici la vue
de Miramar... mais alors?... Il bondit à la fenêtre et crut
rêver : sur le quai de la gare, non loin encore du wagon, sa
valise s'en allait tranquillement, en compagnie d'un grand
gaillard qui l'emportait à petits pas.

Lafcadio voulut s'élancer; le geste qu'il fit pour ouvrir
la portière laissa couler le veston réglisse à ses pieds.

— Diable! diable! Un peu plus et je m'enfermais!...
Tout de même le farceur s'en irait un peu plus vite s'il
pensait que je lui puisse courir après. Aurait-il vu?...

A ce moment, comme il restait penché en avant, une
goutte de sang ruissela le long de sa joue.

— Tant pis pour la valise! Le dé l'avait bien dit : je ne
dois pas descendre ici.

Il referma la portière et se rassit.

— Pas de papiers dans la valise; et mon linge n'est pas
marqué; que risqué-je?... N'importe : m'embarquer le plus
tôt possible; ce sera peut-être un peu moins amusant; mais,
à coup sûr, beaucoup plus sage.

Le train cependant repartait.

— Ce n'est pas tant la valise que je regrette... mais mon
castor, que j'aurais bien voulu repêcher. N'y pensons plus.

Il bourra une nouvelle pipette, l'alluma, puis plongeant
la main dans la poche intérieure de l'autre veston, il en sortit

d'un coup une lettre d'Arnica, un carnet de l'agence Cook
et une enveloppe de papier bulle qu'il ouvrit.

— Trois, quatre, cinq, six billets de mille! N'intéresse
pas les gens honnêtes.

Il remit les billets dans l'enveloppe et l'enveloppe dans
la poche du veston.

Mais quand, un instant après, il examina le carnet Cook,
Lafcadio eut un éblouissement. Sur la première feuille, le
nom de *Julius de Baraglioul* était inscrit.

— Est-ce que je deviens fou? pensa-t-il. Quel rapport
avec Julius?... billet volé?... non; pas possible. Billet prêté
sans aucun doute. Diable! diable! J'ai peut-être fait du
gâchis : ces vieillards sont mieux ramifiés qu'on ne croit....

Puis, en tremblant d'interrogation il ouvrit la lettre
d'Arnica. L'événement apparaissait trop étrange; il avait
peine à fixer son attention; sans doute, il ne parvenait pas
bien à démêler quelle parenté ou quels rapports entre
Julius et ce vieux, mais il saisit ceci du moins : que Julius
était à Rome. Aussitôt sa résolution fut prise : un urgent
désir de revoir son frère l'envahit, une curiosité débridée
d'assister au retentissement de cette affaire sur ce calme et
logique esprit :

— C'est dit! Ce soir je couche à Naples; je dégage ma
malle et demain je retourne à Rome par le premier train. Ce
sera sûrement beaucoup moins sage, mais peut-être un peu
plus amusant.

III

A Naples, Lafcadio descendit dans un hôtel voisin de la
gare; il eut soin de prendre sa malle avec lui, parce que sont

suspects les voyageurs sans bagages et qu'il prenait garde de n'attirer point sur lui l'attention; puis courut se procurer les quelques objets de toilette qui lui manquaient et un chapeau pour remplacer l'odieux canotier (et du reste étroit à son front) que lui avait laissé Fleurissoire. Il désirait également acheter un revolver, mais dut remettre au lendemain cette emplette; déjà les magasin fermaient.

Le train qu'il voulait prendre le lendemain partait de bonne heure; on arrivait à Rome pour déjeuner...

Son intention était de n'aborder Julius qu'après que les journaux auraient parlé du " crime ". Le *crime!* Ce mot lui semblait plutôt bizarre; et tout à fait impropre, s'adressant à lui, celui de *criminel*. Il préférait celui d'*aventurier*, mot aussi souple que son castor, et dont il pouvait relever les bords à son gré.

Les journaux du matin ne parlaient pas encore de l'*aventure*. Il attendait impatiemment ceux du soir, pressé de revoir Julius et de sentir s'engager la partie; comme l'enfant à cligne-musette, qui certes ne veut pas qu'on le trouve, mais qui veut du moins qu'on le cherche, en attendant il s'ennuyait. C'était un vague état qu'il ne connaissait pas encore; et les gens qu'il coudoyait dans la rue lui paraissaient particulièrement médiocres, désagréables et hideux.

Quand vint le soir, il acheta le *Corriere* à un crieur sur le Corso; puis entra dans un restaurant, mais par une sorte de défi et comme pour aviver son désir, il se força d'abord de dîner, laissant le journal tout plié, posé là, à côté de lui, sur la table; puis ressortit, et dans le Corso de nouveau, s'arrêtant à la clarté d'une devanture, il déploya le journal et, en seconde page, vit ces mots, en titre d'un des faits divers :

CRIME, SUICIDE... OU ACCIDENT

Puis lut ceci que je traduis :

*En gare de Naples, les employés de la Compagnie ont ramassé
dans le filet d'un compartiment de première classe du train venu
de Rome, une veste de couleur sombre. Dans la poche intérieure de
ce veston une enveloppe jaune tout ouverte contenait six billets de
mille francs ; aucun autre papier qui permît d'identifier le proprié-
taire du vêtement. S'il y a eu crime, on s'explique malaisément
qu'une somme aussi importante ait été laissée sur le vêtement de la
victime ; cela semble indiquer tout au moins que le crime n'aurait
pas eu le vol pour mobile.*

*Aucune trace de lutte n'a pu être relevée dans le compartiment ;
mais on a retrouvé, sous une banquette, une manchette avec un
double bouton qui figure deux têtes de chat, reliées l'une à l'autre
par une chaînette d'argent doré et taillées dans un quartz semi-
transparent, dit : agate nébuleuse à reflets, de l'espèce que les
bijoutiers appellent :* pierre de lune.

Des recherches sont faites activement le long de la voie.

Lafcadio froissa le journal.

— Quoi ! les boutons de Carola maintenant ! Ce vieillard
est un carrefour.

Il tourna la page et vit en dernière heure :

RECENTISSIME

UN CADAVRE LE LONG DE LA VOIE

Sans lire plus avant, Lafcadio courut au Grand-Hôtel.

Il mit dans une enveloppe sa carte où ces mots inscrits
sous son nom :

LAFCADIO WLUIKI

*vient voir si le Comte Julius de Baraglioul n'a pas besoin d'un
secrétaire.*

Puis fit passer.

Un laquais enfin vint le prendre dans le hall où il patientait, le guida le long des couloirs, l'introduisit.

Au premier coup d'œil Lafcadio distingua, jeté dans un coin de la chambre, le *Corriere della Sera*. Sur la table, au milieu de la pièce, un grand flacon d'eau de Cologne débouché répandait sa forte senteur, Julius ouvrit les bras.

— Lafcadio! Mon ami... que je suis donc heureux de vous voir!

Ses cheveux soulevés flottaient et s'agitaient sur ses tempes; il semblait dilaté; il tenait un mouchoir à pois noirs à la main et s'éventait avec. — Vous êtes bien une des personnes que j'attendais le moins; mais celle au monde avec qui je souhaitais le plus pouvoir causer ce soir... C'est madame Carola qui vous a dit que j'étais ici?

— Quelle bizarre question!

— Ma foi! comme je viens de la rencontrer... Du reste, je ne suis pas sûr qu'elle m'ait vu.

— Carola! Elle est à Rome?

— Ne le saviez-vous pas?

— J'arrive de Sicile à l'instant et vous êtes la première personne que je vois ici. Je ne tiens pas à revoir l'autre.

— Elle m'a paru bien jolie.

— Vous n'êtes pas difficile.

— Je veux dire : bien mieux qu'à Paris.

— C'est de l'exotisme; mais si vous êtes en appétit...

— Lafcadio, de tels propos ne sont pas de mise entre nous.

Julius voulut prendre un air sévère, ne réussit qu'une grimace, puis reprit :

— Vous me voyez très agité. Je suis à un tournant de ma vie. J'ai la tête en feu et ressens à travers tout le corps une espèce de vertige, comme si j'allais m'évaporer. Depuis trois jours que je suis à Rome, appelé par un congrès de

sociologie, je cours de surprise en surprise. Votre arrivée
m'achève... Je ne me connais plus.

Il marchait à grands pas; il s'arrêta devant la table, saisit
le flacon, versa sur son mouchoir un flot d'odeur, appliqua
sur son front la compresse, l'y laissa.

— Mon jeune ami... vous permettez que je vous appelle
ainsi... Je crois que je tiens mon nouveau livre! La manière,
encore qu'excessive, dont vous me parlâtes, à Paris, de
L'Air des Cimes, me laisse supposer qu'à celui-ci vous ne
demeurerez pas insensible.

Ses pieds esquissèrent une sorte d'entrechat; le mouchoir
tomba à terre; Lafcadio s'empressa pour le ramasser et
tandis qu'il était courbé, il sentit la main de Julius doucement se poser sur son épaule comme avait fait précisément
la main du vieux Juste-Agénor. Lafcadio souriait en se
relevant.

— Voilà si peu de temps que je vous connais, dit Julius;
mais ce soir je ne me retiens pas de vous parler comme à
un...

Il s'arrêta.

— Je vous écoute comme un frère, monsieur de Baraglioul, reprit Lafcadio enhardi, — puisque vous voulez
bien m'y inviter.

— Voyez-vous, Lafcadio, dans le milieu où je vis à
Paris, parmi tous ceux que je fréquente : gens du monde,
gens d'Église, gens de lettres, académiciens, je ne trouve à
vrai dire personne à qui parler; je veux dire : à qui confier
les nouvelles préoccupations qui m'agitent. Car je dois vous
avouer que, depuis notre première rencontre, mon point
de vue a complètement changé.

— Allons, tant mieux! dit impertinemment Lafcadio.

— Vous ne sauriez croire, vous qui n'êtes pas du métier,
combien une éthique erronée empêche le libre dévelop-

pement de la faculté créatrice. Aussi rien n'est plus éloigné
de mes anciens romans que celui que je projette aujourd'hui.
La logique, la conséquence, que j'exigeais de mes personnages, pour la mieux assurer je l'exigeais d'abord de moi-
même; et cela n'était pas naturel. Nous vivons contrefaits,
plutôt que de ne pas ressembler au portrait que nous
avons tracé de nous d'abord : c'est absurde; ce faisant, nous
risquons de fausser le meilleur.

Lafcadio souriait toujours, attendant venir et s'amusant
à reconnaître l'effet lointain de ses premiers propos.

— Que vous dirais-je, Lafcadio? Pour la première fois
je vois devant moi le champ libre... Comprenez-vous ce que
veulent dire ces mots : le champ libre?... Je me dis qu'il
l'était déjà; je me répète qu'il l'est toujours, et que seules
jusqu'à présent, m'obligeaient d'impures considérations de
carrière, de public, et de juges ingrats dont le poète espère
en vain récompense. Désormais je n'attends plus rien que de
moi. Désormais j'attends tout de moi; j'attends tout de
l'homme sincère; et j'exige n'importe quoi; puisque aussi
bien je pressens à présent les plus étranges possibilités en
moi-même. Puisque ce n'est que sur le papier, j'ose leur
donner cours. Nous verrons bien!

Il respirait profondément, rejetait l'épaule en arrière,
soulevait l'omoplate à la manière presque d'une aile déjà,
comme si l'étouffaient à demi de nouvelles perplexités.
Il poursuivait confusément, à voix plus basse :

— Et puisqu'ils ne veulent pas de moi, ces Messieurs de
l'Académie, je m'apprête à leur fournir de bonnes raisons
de ne pas m'admettre; car ils n'en avaient pas. Ils n'en
avaient pas.

Sa voix devenait brusquement presque aiguë, scandant
ces derniers mots; il s'arrêtait, puis reprenait, plus calme :

— Donc, voici ce que j'imagine... Vous m'écoutez?

— Jusque dans l'âme, dit en riant toujours Lafcadio.

— Et me suivez?

— Jusqu'en enfer.

Julius humecta de nouveau son mouchoir, s'assit dans un fauteuil; en face de lui, Lafcadio se mit à fourchon sur une chaise :

— Il s'agit d'un jeune homme, dont je veux faire un criminel.

— Je n'y vois pas difficulté.

— Eh! eh! fit Julius, qui prétendait à la difficulté.

— Mais, romancier, qui vous empêche? et du moment qu'on imagine, d'imaginer tout à souhait?

— Plus ce que j'imagine est étrange, plus j'y dois apporter de motif et d'explication.

— Il n'est pas malaisé de trouver des motifs de crime.

— Sans doute... mais précisément, je n'en veux point. Je ne veux pas de motif au crime; il me suffit de motiver le criminel. Oui; je prétends l'amener à commettre gratuitement le crime; à désirer commettre un crime parfaitement immotivé.

Lafcadio commençait à prêter une oreille plus attentive.

— Prenons-le tout adolescent : je veux qu'à ceci se reconnaisse l'élégance de sa nature, qu'il agisse surtout par jeu, et qu'à son intérêt il préfère couramment son plaisir.

— Ceci n'est pas commun peut-être... hasarda Lafcadio.

— N'est-ce pas! dit Julius tout ravi. Ajoutons-y qu'il prend plaisir à se contraindre...

— Jusqu'à la dissimulation.

— Inculquons-lui l'amour du risque.

— Bravo! fit Lafcadio toujours plus amusé : S'il sait prêter l'oreille au démon de la curiosité, je crois que votre élève est à point.

Ainsi tour à tour bondissant et dépassant, puis dépassé,

on eût dit que l'un jouait à saute-mouton avec l'autre :

Julius. — Je le vois d'abord qui s'exerce; il excelle aux menus larcins.

Lafcadio. — Je me suis maintes fois demandé comment il ne s'en commettait pas davantage. Il est vrai que les occasions ne s'offrent d'ordinaire qu'à ceux-là seuls, à l'abri du besoin, qui ne se laissent pas solliciter.

Julius. — A l'abri du besoin; il est de ceux-là, je l'ai dit. Mais ces seules occasions le tentent qui exigent de lui quelque habileté, de la ruse...

Lafcadio. — Et sans doute l'exposent un peu.

Julius. — Je disais qu'il se plaît au risque. Au demeurant il répugne à l'escroquerie; il ne cherche point à s'approprier, mais s'amuse à déplacer subrepticement les objets. Il y apporte un vrai talent d'escamoteur.

Lafcadio. — Puis l'impunité l'encourage...

Julius. — Mais elle le dépite à la fois. S'il n'est pas pris, c'est qu'il se proposait jeu trop facile.

Lafcadio. — Il se provoque au plus risqué.

Julius. — Je le fais raisonner ainsi...

Lafcadio. — Êtes-vous bien sûr qu'il raisonne?

Julius, poursuivant. — C'est par le besoin qu'il avait de le commettre que se livre l'auteur du crime.

Lafcadio. — Nous avons dit qu'il était très adroit.

Julius. — Oui; d'autant plus adroit qu'il agira la tête froide. Songez donc : un crime que ni la passion, ni le besoin ne motive. Sa raison de commettre le crime, c'est précisément de le commettre sans raison.

Lafcadio. — C'est vous qui raisonnez son crime; lui, simplement, le commet.

Julius. — Aucune raison pour supposer criminel celui qui a commis le crime sans raison.

Lafcadio. — Vous êtes trop subtil. Au point où vous

l'avez porté, il est ce qu'on appelle : un homme libre.

Julius. — A la merci de la première occasion.

Lafcadio. — Il me tarde de le voir à l'œuvre. Qu'allez-vous bien lui proposer?

Julius. — Eh bien, j'hésitais encore. Oui; jusqu'à ce soir, j'hésitais... Et tout à coup, ce soir, le journal, aux dernières nouvelles, m'apporte tout précisément l'exemple souhaité. Une aventure providentielle! C'est affreux : figurez-vous qu'on vient d'assassiner mon beau-frère!

Lafcadio. — Quoi! le petit vieux du wagon, c'est...

Julius. — C'était Amédée Fleurissoire, à qui j'avais prêté mon billet, que je venais de mettre dans le train. Une heure auparavant il avait pris six mille francs à ma banque, et, comme il les portait sur lui, il ne me quittait pas sans craintes; il nourrissait des idées grises, des idées noires, que sais-je? des pressentiments. Or, dans le train... Mais vous avez lu le journal.

Lafcadio. — Le titre simplement du " fait divers ".

Julius. — Écoutez, que je vous le lise. (Il déploya le *Corriere* devant lui.) Je traduis :

La police qui faisait d'actives recherches le long de la voie ferrée, entre Rome et Naples, a découvert, cet après-midi, dans le lit à sec du Volturne, à cinq kilomètres de Capoue, le corps de la victime à laquelle appartient sans doute la veste retrouvée hier soir dans un wagon. C'est un homme d'apparence modeste, d'une cinquantaine d'années environ. (Il paraissait plus âgé qu'il n'était.) *On n'a trouvé sur lui aucun papier qui permette d'établir son identité.* (Cela me donne heureusement le temps de respirer.) *Il a apparemment été projeté du wagon, assez violemment pour passer par-dessus le parapet du pont, en réparation à cet endroit et remplacé simplement par des poutres.* (Quel style!) *Le pont est élevé de plus de quinze mètres au-dessus de la rivière; la mort a dû suivre la chute, car le corps ne porte pas la trace de*

*blessures. Il est en bras de chemise ; au poignet droit, une manchette,
semblable à celle que l'on a retrouvée dans le wagon, mais à laquelle
le bouton manque...* (Qu'avez-vous? — Julius s'arrêta :
Lafcadio n'avait pu réprimer un sursaut, car l'idée traversa
son esprit que le bouton avait été enlevé depuis le crime.)
— Julius reprit : *Sa main gauche est restée crispée sur un chapeau
de feutre mou...*

— De feutre mou! Les rustres! murmura Lafcadio.

Julius releva le nez de dessus le journal.

— Qu'est-ce qui vous étonne?

— Rien, rien! Continuez.

*... de feutre mou, beaucoup trop large pour sa tête et qui paraît
être plutôt celui de l'agresseur ; la marque de provenance a été
soigneusement découpée dans le cuir de la coiffe, où il manque un
morceau, de la forme et de la dimension d'une feuille de laurier...*

Lafcadio se leva, se pencha derrière Julius pour lire
par-dessus son épaule et peut-être pour dissimuler sa
pâleur. Il n'en pouvait plus douter à présent : le crime avait
été retouché; quelqu'un avait passé par là-dessus; avait
découpé cette coiffe; sans doute l'inconnu qui s'était emparé
de sa valise.

Julius cependant continuait :

... ce qui semble indiquer la préméditation de ce crime. (Pourquoi précisément de ce crime? Mon héros avait peut-être
pris ses précautions à tout hasard...) *Sitôt après les constata-
tions policières, le cadavre a été transporté à Naples pour permettre son identification.* (Oui, je sais qu'ils ont là-bas les
moyens et l'habitude de conserver les corps très longtemps...)

— Êtes-vous bien sûr que ce soit lui? (La voix de Lafcadio tremblait un peu.)

— Parbleu; je l'attendais ce soir pour dîner.

— Vous avez renseigné la police?

— Pas encore. J'ai besoin d'abord de mettre un peu

d'ordre dans mes idées. En deuil déjà, de ce côté du moins (j'entends : celui du vêtement), je suis tranquille; mais vous comprenez que, sitôt divulgué le nom de la victime, il faudra que j'avertisse toute ma famille, que j'envoie des dépêches, que j'écrive des lettres, que je m'occupe des faire-part, de l'inhumation, que j'aille à Naples réclamer le corps, que... Oh! mon cher Lafcadio, à cause de ce congrès auquel je vais être tenu d'assister, accepteriez-vous, par procuration, de chercher le corps à ma place?...

— Nous verrons cela tout à l'heure.

— Si toutefois cela ne vous impressionne pas trop. En attendant j'épargne à ma pauvre belle-sœur des heures cruelles; d'après les vagues renseignements des journaux, comment irait-elle supposer...? Je reviens à mon sujet : Quand j'ai donc lu ce *fait divers*, je me suis dit : ce crime-ci, que j'imagine si bien, que je reconstitue, que je vois — je connais, moi, je connais la raison qui l'a fait commettre; et sais que, s'il n'y eût pas eu cet appât des six mille francs, le crime n'eût pas été commis.

— Mais supposons pourtant que...

— Oui, n'est-ce pas : supposons un instant qu'il n'y ait pas eu ces six mille francs, ou mieux : que le criminel ne les ait pas pris : c'est mon homme.

Lafcadio cependant s'était levé; il avait ramassé le journal que Julius avait laissé tomber, et l'ouvrant à la seconde page :

— Je vois que vous n'avez pas lu la dernière heure : le... criminel, précisément, n'a pas pris les six mille francs, — dit-il du plus froid qu'il put. Tenez, lisez : " *Cela semble indiquer tout au moins que le crime n'aurait pas eu le vol pour mobile.* "

Julius saisit la feuille que Lafcadio lui tendait, lut avidement; puis se passa la main sur les yeux; puis s'assit;

puis se releva brusquement, s'éleva sur Lafcadio et l'empoignant par les deux bras :

— Pas le vol pour mobile! cria-t-il, et comme saisi d'un
transport, il secouait Lafcadio furieusement. — Pas le vol
pour mobile! Mais alors... — Il repoussait Lafcadio,
courait à l'autre extrémité de la chambre, et s'éventait, et
se frappait le front, et se mouchait : — Alors je sais, parbleu!
je sais pourquoi ce bandit l'a tué... Ah! malheureux ami! ah!
pauvre Fleurissoire! C'est donc qu'il disait vrai! Et moi
qui le croyais déjà fou... Mais alors c'est épouvantable.

Lafcadio s'étonnait, attendait la fin de la crise; il s'irritait
un peu; il lui semblait que n'avait pas le droit d'échapper
ainsi Julius :

— Je croyais que précisément vous...

— Taisez-vous! vous ne savez rien. Et moi qui perds
mon temps près de vous dans des échafaudements ridicules...
Vite! ma canne, mon chapeau.

— Où courez-vous?

— Prévenir la police, parbleu!

Lafcadio se mit en travers de la porte.

— Expliquez-moi d'abord, dit-il impérativement. Ma
parole, on dirait que vous devenez fou.

— C'est tout à l'heure que j'étais fou. Je me réveille de
ma folie... Ah! pauvre Fleurissoire! ah! malheureux ami!
Sainte victime! A temps sa mort m'arrête sur le chemin de
l'irrespect, du blasphème. Son sacrifice me ramène. Moi qui
riais de lui!...

Il avait recommencé de marcher; puis s'arrêtant net et
posant sa canne et son chapeau près du flacon, sur la table,
il se campa devant Lafcadio :

— Voulez-vous savoir pourquoi le bandit l'a tué?

— Je croyais que c'était sans motif.

Julius alors furieusement :

— D'abord il n'y a pas de crime sans motif. On s'est débarrassé de lui parce qu'il détenait un secret... qu'il m'avait confié, un secret considérable; et d'ailleurs beaucoup trop important pour lui. On avait peur de lui, comprenez-vous? Voilà... Oh! cela vous est facile de rire, à vous qui n'entendez rien aux choses de la foi. — Puis tout pâle et se redressant : — Le secret, c'est moi qui l'hérite.

— Méfiez-vous? c'est de vous qu'ils vont avoir peur maintenant.

— Vous voyez bien qu'il faut que je prévienne aussitôt la police.

— Encore une question, dit Lafcadio, l'arrêtant de nouveau.

— Non. Laissez-moi partir. Je suis horriblement pressé. Cette surveillance continue, qui tant affolait mon pauvre frère, vous pouvez tenir pour certain que c'est contre moi qu'ils l'exercent; qu'ils l'exercent dès à présent. Vous ne sauriez croire combien ces gens-là sont habiles. Ces gens-là savent tout, je vous dis... Il devient plus opportun que jamais que vous alliez rechercher le corps à ma place... Surveillé comme je le suis à présent, on ne sait pas ce qui pourrait bien m'advenir. Je vous demande cela comme un service, Lafcadio, mon cher ami. — Il joignait les mains, implorait. — Je n'ai pas la tête à moi pour l'instant, mais je prendrai des informations à la questure, de manière à vous munir d'une procuration bien en règle. Où pourrai-je vous l'adresser?

— Pour plus de commodité, je prendrai chambre à cet hôtel. A demain. Courez vite.

Il laissa Julius s'éloigner. Un grand dégoût montait en lui, et presque une espèce de haine contre lui-même et contre Julius; contre tout. Il haussa les épaules, puis sortit de sa poche le carnet Cook inscrit au nom de Baraglioul qu'il avait pris dans le veston de Fleurissoire, le posa sur la table, en évidence, accoté contre le flacon de parfum; éteignit la lumière et sortit.

IV

Malgré toutes les précautions qu'il avait prises, malgré les recommandations à la questure, Julius de Baraglioul n'avait pu empêcher les journaux ni de divulguer ses liens de parenté avec la victime, ni même de désigner en toutes, lettres l'hôtel où il était descendu.

Certes, la veille au soir, il avait traversé des minutes de rare angoisse, lorsque au retour de la questure, vers minuit, il avait trouvé dans sa chambre, exposé bien en évidence, le billet Cook inscrit à son nom et dont s'était servi Fleurissoire. Il avait aussitôt sonné et, ressorti blême et tremblant dans le couloir, avait prié le garçon de regarder sous son lit; car il n'osait regarder lui-même. Une espèce d'enquête qu'il poussa séance tenante n'aboutit à aucun résultat; mais comment se fier au personnel des grands hôtels?... Pourtant, après une nuit de bon sommeil derrière une porte solidement verrouillée, Julius s'était réveillé plus à l'aise; la police à présent le protégeait. Il écrivit nombre de lettres et de dépêches, qu'il alla porter lui-même à la poste.

Comme il rentrait, on le vint avertir qu'une dame était venue le demander; elle n'avait pas dit son nom, attendait dans le reading-room. Julius s'y rendit et ne fut pas peu surpris de retrouver là Carola.

Non dans la première salle, mais dans une autre plus retraite, plus petite et peu éclairée, elle s'était assise de biais, au coin d'une table reculée, et, pour se prêter contenance, feuilletait distraitement un album. En voyant entrer Julius elle se leva, plus confuse que souriante. Le manteau noir qui la recouvrait s'ouvrait sur un corsage sombre, simple, presque de bon goût; par contre, son chapeau tumultueux quoique noir la signalait d'une manière désobligeante.

— Vous allez me trouver bien osée, Monsieur le Comte. Je ne sais pas comment j'ai trouvé le courage d'entrer dans votre hôtel et de vous y demander; mais vous m'avez saluée si gentiment hier... Et puis ce que j'ai à vous dire est trop important.

Elle restait debout derrière la table; ce fut Julius qui s'approcha; par-dessus la table il lui tendit la main sans façons :

— Qu'est-ce qui me vaut le plaisir de votre visite?

Carola baissa le front :

— Je sais que vous venez d'être bien éprouvé.

Julius ne comprit pas d'abord; mais comme Carola sortait un mouchoir et le passait devant ses yeux :

— Quoi! c'est une visite de condoléance?

— Je connaissais M. Fleurissoire, reprit-elle.

— Bah!

— Oh! pas depuis bien longtemps. Mais je l'aimais bien. Il était si gentil, si bon... C'est même moi qui lui avait donné ses boutons de manchettes; vous savez, ceux dont on a lu la description dans le journal; c'est ça qui m'a permis de le reconnaître. Mais je ne savais pas que c'était Monsieur votre beau-frère. J'ai été bien surprise, et vous pensez si ça m'a fait plaisir... Oh! pardon; ça n'est pas ça que je voulais dire.

— Ne vous troublez pas, chère mademoiselle, vous voulez dire sans doute que vous êtes heureuse de cette occasion de me revoir.

Sans répondre Carola enfouit son visage dans son mouchoir; des sanglots la secouèrent et Julius crut devoir lui prendre la main :

— Moi aussi, disait-il d'un ton pénétré, moi aussi, chère demoiselle, croyez bien que...

— Le matin même, avant qu'il ne parte, je lui disais bien de se méfier. Mais ça n'était pas dans sa nature... Il était trop confiant, vous savez.

— Un saint, mademoiselle; c'était un saint, fit Julius avec élan et sortant son mouchoir à son tour.

— C'est bien ça que j'avais compris, s'écria Carola. La nuit, quand il croyait que je dormais, il se relevait, il se mettait à genoux au pied du lit, et...

Cet inconscient aveu acheva de troubler Julius, il remit son mouchoir en poche, et s'approchant encore :

— Otez donc votre chapeau, chère demoiselle.

— Merci; il ne me gêne pas.

— C'est moi qu'il gêne... Permettez.

Mais comme Carola se reculait sensiblement, il se ressaisit.

— Permettez-moi de vous demander : vous avez quelque raison particulière de craindre?

— Moi?

— Oui; quand vous avez dit à mon beau-frère de se méfier, je vous demande si vous aviez des raisons de supposer... Parlez à cœur ouvert : il ne vient personne ici le matin et l'on ne peut pas nous entendre. Vous soupçonnez quelqu'un?

Carola baissa la tête.

— Comprenez que cela m'intéresse particulièrement, continua Julius volubile, et mettez-vous en face de ma situation. Hier soir, en rentrant de la questure où j'avais été déposer, je trouve dans ma chambre, sur la table, au beau

milieu de ma table, le billet de chemin de fer avec lequel
ce pauvre Fleurissoire avait voyagé. Il était inscrit à mon
nom; ces billets circulaires sont strictement personnels,
c'est entendu; j'avais eu tort de le prêter; mais là n'est pas
la question... Dans ce fait de me rapporter mon billet,
cyniquement, dans ma chambre, en profitant d'un instant
où j'en suis sorti, je dois voir un défi, une fanfaronnade, et
presque une insulte... qui ne me troublerait pas, cela va
sans dire, si je n'avais de bonnes raisons de me croire à
mon tour visé, voici pourquoi : Ce pauvre Fleurissoire,
votre ami, était possesseur d'un secret... d'un secret abominable... d'un secret très dangereux... que je ne lui demandais
pas... que je ne me souciais nullement de savoir... qu'il
avait eu la plus fâcheuse imprudence de me confier. Et
maintenant, je vous le demande : celui qui pour étouffer
ce secret n'a pas craint d'aller jusqu'au crime... vous savez
qui c'est?

— Rassurez-vous, Monsieur le Comte : hier soir je l'ai
dénoncé à la police.

— Mademoiselle Carola, je n'attendais pas moins de
vous.

— Il m'avait promis de ne pas lui faire de mal; il n'avait
qu'à tenir sa promesse, j'aurais tenu la mienne. A présent
j'en ai assez; il peut bien me faire ce qu'il voudra.

Carola s'exaltait, Julius passa derrière la table et s'approchant d'elle de nouveau :

— Nous serions peut-être mieux dans ma chambre
pour causer.

— Oh! Monsieur, dit Carola, je vous ai dit maintenant
tout ce que j'avais à vous dire; je ne voudrais pas vous
retenir plus longtemps.

Comme elle s'écartait encore, elle acheva de contourner
la table et se retrouva près de la sortie.

— Il vaut mieux que nous nous quittions à présent, mademoiselle, reprit dignement Julius qui, de cette résistance, prétendait garder le mérite. Ah! je voulais dire encore : si, après-demain, vous aviez l'idée de venir à l'inhumation, il vaut mieux que vous ne me reconnaissiez pas.

C'est sur ces mots qu'ils se quittèrent, sans avoir prononcé le nom de l'insoupçonné Lafcadio.

V

Lafcadio ramenait de Naples la dépouille de Fleurissoire. Un fourgon mortuaire la contenait, qu'on avait accroché en queue du train, mais dans lequel Lafcadio n'avait pas cru indispensable de monter lui-même. Toutefois, par décence, il s'était installé dans le compartiment non pas absolument le plus proche, car le dernier wagon était un wagon de seconde, du moins aussi près du corps que les " premières " le permettaient. Parti le matin de Rome, il devait y rentrer le soir du même jour. Il s'avouait mal volontiers le sentiment nouveau qui bientôt envahit son âme, car il ne tenait rien en si grand-honte que l'ennui, ce mal secret dont les beaux appétits insouciants de sa jeunesse, puis la dure nécessité, l'avaient préservé jusqu'alors. Et quittant son compartiment le cœur vide d'espoir et de joie, d'un bout à l'autre du wagon-couloir, il rôdait, harcelé par une curiosité indécise et cherchant douteusement il ne savait quoi de neuf et d'absurde à tenter. Tout paraissait insuffisant à son désir. Il ne songeait plus à s'embarquer, reconnaissait à contrecœur que Bornéo ne l'attirait guère; non plus le reste de l'Italie : même il se désintéressait des

suites de son aventure; elle lui paraissait aujourd'hui
compromettante et saugrenue. Il en voulait à Fleurissoire
de ne s'être pas mieux défendu; il protestait contre cette
piteuse figure, eût voulu l'effacer de son esprit.

Par contre il eût revu volontiers le gaillard qui s'etait
emparé de sa valise; un fameux farceur celui-là!... Et,
comme s'il l'eût dû retrouver, à la station de Capoue, il se
pencha à la portière, fouillant des yeux le quai désert. Mais
le reconnaîtrait-il seulement? Il ne l'avait vu que de dos,
distant déjà et s'éloignant dans la pénombre... Il le suivait
en imagination à travers la nuit, regagnant le lit du Volturne,
retrouvant le cadavre hideux, le détroussant et, par une
sorte de défi, découpant dans la coiffe du chapeau, de son
chapeau à lui, Lafcadio, ce morceau de cuir " de la forme et
de la dimension d'une feuille de laurier " comme disait
élégamment le journal. Cette petite pièce à conviction où
l'adresse de son fournisseur, Lafcadio, après tout, étant
fort reconnaissant à son dévaliseur de l'avoir soustraite à la
police. Sans doute, ce détrousseur de morts avait tout
intérêt lui-même à n'attirer point sur soi l'attention; et s'il
prétendait malgré tout se servir de sa découpure, ma foi!
ça pourrait être assez plaisant d'entrer en composition avec
lui.

La nuit à présent était close. Un garçon de wagon-
restaurant, circulant d'un bout à l'autre du train, vint
avertir les voyageurs de première et de seconde classe que
le dîner les attendait. Sans appétit, mais du moins sauvé
de son désœuvrement pour une heure, Lafcadio s'achemina
à la suite de quelques autres, mais assez loin derrière eux.
Le restaurant était en tête du train. Les wagons au travers
desquels Lafcadio passait étaient vides; de-ci, de-là divers
objets, sur les banquettes, indiquaient et réservaient les
places des dîneurs : châles, oreillers, livres, journaux. Une

serviette d'avocat accrocha son regard. Sûr d'être le dernier,
il s'arrêta devant le compartiment, puis entra. Cette serviette au demeurant ne l'attirait guère; ce fut proprement
par acquit de conscience qu'il fouilla.

Sur un soufflet intérieur, en discrètes lettres d'or, la
serviette portait cette indication :

DEFOUQUEBLIZE

Faculté de Droit de Bordeaux

Elle contenait deux brochures sur le droit criminel et
six numéros de la *Gazette des Tribunaux.*

— Encore quelque bétail pour le congrès. Pouah!
pensa Lafcadio qui remit le tout à sa place, puis se hâta de
rejoindre la petite file des voyageurs qui se rendaient au
restaurant.

Une frêle fillette et sa mère fermaient la marche, toutes
deux en grand deuil; les précédait immédiatement un
monsieur en redingote, coiffé d'un chapeau haut de forme,
à cheveux longs et plats et à favoris grisonnants; apparemment Monsieur Defouqueblize, le possesseur de la
serviette. On avançait lentement, en titubant aux cahots du
train. Au dernier coude du couloir, à l'instant que le professeur allait s'élancer dans cette sorte d'accordéon qui relie
un wagon à l'autre, une secousse plus forte le chavira; pour
recouvrer son équilibre il fit un brusque mouvement, qui
précipita son pince-nez, toute attache rompue, dans le coin
de l'étroit vestibule que forme le couloir devant la porte
des commodités. Tandis qu'il se courbait à la recherche de
sa vue, la dame et la fillette passèrent. Lafcadio, quelques
instants, se divertit à contempler les efforts du savant;
piteusement désemparé, il lançait au hasard d'inquiètes
mains à fleur de sol; il nageait dans l'abstrait; on eût dit la

danse informe d'un plantigrade, ou que, de retour en
enfance, il jouât à " Savez-vous planter les choux? "
— Allons! Lafcadio, un bon mouvement! Cède à ton cœur,
qui n'est pas corrompu. Viens en aide à l'infirme. Tends-
lui ce verre indispensable; il ne l'atteindra pas tout seul.
Il y tourne le dos. Un peu plus, il va l'écraser... A ce moment
un nouveau cahot projeta le malheureux, tête baissée
contre la porte du closet; le haut-de-forme amortit le choc,
en se défonçant à demi et s'enfonçant sur les oreilles.
M. Defouqueblize fit un gémissement; se redressa; se découvrit. Lafcadio cependant, estimant que la farce avait assez
duré, ramassa le pince-nez, le déposa dans le chapeau du
quêteur, puis s'enfuit, éludant les remerciements.

Le repas était commencé. A côté de la porte vitrée, à
droite du passage, Lafcadio s'assit à une table de deux
couverts; la place en face de lui restait vide. A gauche du
passage, à même hauteur que lui, la veuve occupait, avec
sa fille, une table de quatre couverts dont deux restaient
inoccupés.

— Quel ennui règne dans ces lieux! se disait Lafcadio,
dont le regard indifférent glissait au-dessus des convives
sans trouver figure où se poser. — Tout ce bétail s'acquitte
comme d'une corvée monotone de ce divertissement qu'est
la vie, à la bien prendre... Qu'ils sont donc mal vêtus!
Mais, nus, qu'ils seraient laids! Je meurs avant le dessert si
je ne commande pas du champagne.

Entra le professeur. Apparemment il venait de se laver
les mains qu'avait souillées du bout sa recherche; il examinait ses ongles. En face de Lafcadio un garçon de restaurant le fit asseoir. Le sommelier passait de table en table.
Lafcadio, sans mot dire, indiqua sur la carte un Montebello
Grand-Crémant de vingt francs, tandis que M. Defouqueblize demandait une bouteille d'eau de Saint-Galmier. A

présent, tenant entre deux doigts son pince-nez, il haletait dessus doucement, puis, du coin de sa serviette, il en clarifiait les verres. Lafcadio l'observait, s'étonnait de ses yeux de taupe clignotant sous d'épaisses paupières rougies.

— Heureusement il ne sait pas que c'est moi qui viens de lui rendre la vue! S'il commence à me remercier, à l'instant je lui fausserai compagnie.

Le sommelier revint avec la Saint-Galmier et le champagne, qu'il déboucha d'abord et posa entre les deux convives. Cette bouteille ne fut pas plus tôt sur la table, Defouqueblize s'en saisit, sans distinguer quelle elle était, s'en versa un plein verre qu'il avala d'un trait... Le sommelier déjà faisait un geste, que Lafcadio retint en riant.

— Oh! qu'est-ce que je bois là? s'écria Defouqueblize avec une grimace affreuse.

— Le Montebello de Monsieur votre voisin, dit le sommelier dignement. La voilà, votre eau de Saint-Galmier. Tenez.

Il posa la seconde bouteille.

— Mais je suis désolé, Monsieur... J'y vois si mal... Absolument confus, croyez bien...

— Quel plaisir vous me feriez, Monsieur, interrompit Lafcadio, en ne vous excusant pas; et même en acceptant un second verre, si ce premier-là vous a plu.

— Hélas! Monsieur, je vous avouerai que j'ai trouvé cela détestable; et je ne comprends pas comment, dans ma distraction, j'ai pu en avaler un plein verre; j'avais si soif... Dites-moi, Monsieur, je vous prie : c'est extrêmement fort, ce vin-là?... parce que, je m'en vais vous dire... je ne bois jamais que de l'eau... la moindre goutte d'alcool me porte infailliblement à la tête... Mon Dieu! mon Dieu! qu'est-ce que je vais devenir?... Si je retournais tout de suite à mon compartiment?... Je ferais sans doute bien de m'étendre.

Il fit geste de se lever.

— Restez! restez donc, cher Monsieur, dit Lafcadio qui commençait à s'amuser. Vous feriez bien de manger au contraire, sans vous inquiéter de ce vin. Je vous ramènerai tout à l'heure si vous avez besoin qu'on vous soutienne; mais n'ayez crainte : ce que vous en avez bu ne griserait pas un enfant.

— J'en accepte l'augure. Mais, vraiment, je ne sais comment vous... Vous offrirai-je un peu d'eau de Saint-Galmier?

— Je vous remercie beaucoup; mais permettez-moi de préférer mon champagne.

— Ah! vraiment, c'était du champagne! Et... vous allez boire tout cela?

— Pour vous rassurer.

— Vous êtes trop aimable; mais, à votre place, je...

— Si vous mangiez un peu, interrompit Lafcadio, mangeant lui-même, et que Defouqueblize embêtait.

Son attention à présent se portait sur la veuve :

Certainement une Italienne. Veuve d'officier sans doute. Quelle décence dans son geste! quelle tendresse dans son regard! Comme son front est pur! Que ses mains sont intelligentes! Quelle élégance dans sa mise, pourtant si simple... Lafcadio, quand tu n'entendras plus en ton cœur les harmoniques d'un tel accord, puisse ton cœur avoir cessé de battre! Sa fille lui ressemble; et de quelle noblesse déjà, un peu sérieuse et même presque triste, se tempère l'excès de grâce de l'enfant! Vers elle avec quelle sollicitude la mère se penche! Ah! devant de tels êtres le démon céderait; pour de tels êtres, Lafcadio, ton cœur se dévouerait sans doute...

A ce moment le garçon passa changer les assiettes. Lafcadio laissa partir la sienne à demi pleine, car ce qu'il voyait à présent l'emplissait soudain de stupeur : la veuve, la délicate veuve se courbait en dehors, vers le passage, et, relevant lestement sa jupe, du mouvement le plus naturel, découvrait un bas écarlate et le mollet le mieux formé.

Si inopinément cette note ardente éclatait dans cette grave symphonie... rêvait-il? Cependant le garçon apportait un nouveau plat. Lafcadio s'allait servir; ses yeux se reportèrent sur son assiette, et ce qu'il vit alors l'acheva :

Là, devant lui, à découvert, au milieu de l'assiette tombé l'on ne sait d'où, hideux et reconnaissable entre mille... n'en doute pas, Lafcadio : c'est le bouton de Carola! Celui des deux boutons qui manquait à la seconde manchette de Fleurissoire. Voici qui tourne au cauchemar... Mais le garçon se penche avec le plat. D'un coup de main, Lafcadio nettoie l'assiette, faisant glisser le vilain bijou sur la nappe; il replace l'assiette par-dessus, se sert abondamment, emplit son verre de champagne, qu'il vide aussitôt, puis remplit. Car maintenant si l'homme à jeun a déjà des visions ivres... Non, ce n'était pas une hallucination; il entend le bouton crisser sous l'assiette; il soulève l'assiette, s'empare du bouton; le glisse à côté de sa montre dans le gousset de son gilet; tâte encore, s'assure : le bouton est là, bien en sûreté... Mais qui dira comment il est venu dans l'assiette? Qui l'y a mis?... Lafcadio regarde Defouqueblize : le savant mange innocemment, le nez bas. Lafcadio veut penser à autre chose : il regarde de nouveau la veuve; mais dans son geste et dans sa mise tout est redevenu décent, banal; il la trouve à présent moins jolie. Il tâche d'imaginer à neuf le geste provocant, le bas rouge; il ne peut pas. Il tâche de revoir sur son assiette le bouton; et s'il ne le sentait pas là, dans sa poche, certes il douterait... Mais, au fait, pourquoi l'a-t-il pris, ce bouton?... qui n'était pas à lui. Par ce geste instinctif, absurde, quel aveu!

quelle reconnaissance! Comme il se désigne à lui, quel qu'il soit, et de la police peut-être, qui l'observe sans doute, le guette... Dans ce piège grossier il a donné tout droit comme un sot. Il se sent blêmir. Il se retourne brusquement : derrière la porte vitrée du passage, personne... Mais quelqu'un tout à l'heure peut-être l'aura vu! Il se force à manger encore; mais de dépit ses dents se serrent. Le malheureux! ce n'est pas son crime affreux qu'il regrette, c'est ce geste malencontreux. Qu'a donc à présent le professeur à lui sourire?...

Defouqueblize avait achevé de manger. Il s'essuya les lèvres, puis, les deux coudes sur la table et chiffonnant nerveusement sa serviette, commença de regarder Lafcadio; un bizarre rictus agitait ses lèvres; à la fin, comme n'y tenant plus :

— Oserais-je, Monsieur, vous en demander un petit peu?

Il avança son verre craintivement vers la bouteille presque vide.

Lafcadio, distrait de son inquiétude et tout heureux de la diversion, lui versa les dernières gouttes :

— Je serais embarrassé de vous en donner beaucoup... Mais voulez-vous que j'en redemande?

— Alors je crois qu'une demi-bouteille suffirait.

Defouqueblize, déjà sensiblement éméché, avait perdu le sentiment des convenances. Lafcadio, que n'effrayait pas le vin sec et que la naïveté de l'autre amusait, fit déboucher un second Montebello.

— Non! non! ne m'en versez pas trop! disait Defouqueblize en levant son vacillant verre que Lafcadio achevait de remplir. C'est curieux que cela m'ait paru si mauvais d'abord. On se fait ainsi des monstres de bien des choses, tant qu'on ne les connaît pas. Simplement je croyais boire de l'eau de Saint-Galmier; alors je trouvais que, pour de

l'eau de Saint-Galmier, elle avait un drôle de goût, vous
comprenez. C'est comme si l'on vous versait de l'eau de
Saint-Galmier quand vous croyez boire du champagne,
vous diriez, n'est-ce pas : pour du champagne, je trouve
qu'il a un drôle de goût !...

Il riait à ses propres paroles, puis se penchait par-dessus
la table vers Lafcadio qui riait aussi, et, à demi-voix :

— Je ne sais pas ce que j'ai à rire comme ça ; c'est certainement la faute à votre vin. Je le soupçonne tout de même
d'être un peu plus chaud que vous ne dites. Eh! eh! eh!
Mais vous me ramenez dans mon wagon, c'est convenu,
n'est-ce pas ? Nous y serons seuls, et si je suis indécent vous
saurez pourquoi.

— En voyage, hasarda Lafcadio, cela ne tire pas à conséquence.

— Ah! Monsieur, reprit l'autre aussitôt, tout ce qu'on
ferait dans cette vie, si seulement on pouvait être bien
certain que cela ne tire pas à conséquence, comme vous dites
si justement! Si seulement on était assuré que cela n'engage
à rien... Tenez ; rien que ça, que je vous dis là, maintenant,
et qui n'est pourtant qu'une pensée bien naturelle, croyez-
vous que je l'oserais exprimer sans plus de détours, si
seulement nous étions à Bordeaux ? Je dis Bordeaux, parce
que c'est Bordeaux que j'habite. J'y suis connu, respecté ;
bien que pas marié, j'y mène une petite vie tranquille, j'y
exerce une profession considérée : professeur à la faculté de
droit ; oui : criminologie comparée, une chaire nouvelle...
Vous comprenez que, là, je n'ai pas la permission, ce qui
s'appelle : la permission de m'enivrer, fût-ce un jour par
hasard. Ma vie doit être respectable. Songez donc : un
de mes élèves me rencontrerait saoul dans la rue !... Respectable ; et sans que ça ait l'air contraint ; c'est là le hic ;
il ne faut pas donner à penser : Monsieur Defouqueblize

(c'est mon nom) fait rudement bien de se retenir!... Il faut
non seulement ne rien faire d'insolite, mais encore persuader autrui qu'on ne ferait rien d'insolite, même avec toute
licence; qu'on n'a rien d'insolite en soi, qui demanderait
à sortir. Reste-t-il encore un peu de vin? Quelques gouttes
seulement, mon cher complice, quelques gouttes... Une
pareille occasion ne se retrouve pas deux fois dans la vie.
Demain, à Rome, à ce congrès qui nous rassemble, je
retrouverai quantité de collègues, graves, apprivoisés,
retenus, aussi compassés que je le redeviendrai moi-même
dès que j'aurais recouvré ma livrée. Des gens de la société,
comme vous ou moi, se doivent de vivre contrefaits.

Le repas cependant s'achevait; un garçon passait, récol-
tant, avec le dû, les pourboires.

A mesure que la salle se vidait, la voix de Defouqueblize
devenait plus sonore; par instants, ses éclats inquiétaient
un peu Lafcadio. Il continuait :

— Et quand il n'y aurait pas la société pour nous contraindre, ce groupe y suffirait de parents et d'amis auxquels
nous ne savons pas consentir à déplaire. Ils opposent à
notre sincérité incivile une image de nous, de laquelle
nous ne sommes qu'à demi responsables, qui ne nous
ressemble que fort peu, mais qu'il est indécent, je vous dis,
de déborder. En ce moment, c'est un fait : j'échappe à ma
figure, je m'évade de moi... O vertigineuse aventure!
ô périlleuse volupté!... Mais je vous romps la tête?

— Vous m'intéressez étrangement.

— Je parle! je parle... Que voulez-vous! même ivre on
reste professeur; et le sujet me tient à cœur... Mais, si vous
avez fini de manger, peut-être voulez-vous bien m'offrir
votre bras pour m'aider à regagner mon compartiment
tandis que je me soutiens encore. Je crains, si je m'attarde
un peu davantage, de n'être plus en état de me lever.

Defouqueblize, à ces mots, prit une sorte d'élan comme pour abandonner sa chaise, mais retombant tout aussitôt et s'affalant à demi sur la table desservie, le haut du corps jeté vers Lafcadio, il reprit d'une voix adoucie et quasi confidentielle :

— Voici ma thèse : Savez-vous ce qu'il faut pour faire de l'honnête homme un gredin? Il suffit d'un dépaysement, d'un oubli! Oui, Monsieur, un trou dans la mémoire, et la sincérité se fait jour!... La cessation d'une continuité; une simple interruption de courant. Naturellement je ne dis pas cela dans mes cours... Mais, entre nous, quel avantage pour le bâtard! Songez donc : celui dont l'être même est le produit d'une incartade, d'un crochet dans la droite ligne.

La voix du professeur de nouveau s'était haussée; il fixait à présent sur Lafcadio des yeux bizarres, dont le regard tantôt vague et tantôt perçant commençait à l'inquiéter. Lafcadio se demandait à présent si la myopie de cet homme n'était pas feinte, et, presque, il reconnaissait ce regard. A la fin, plus gêné qu'il n'eût voulu en convenir, il se leva et, brusquement :

— Allons! Prenez mon bras, Monsieur Defouqueblize, dit-il. Levez-vous. Assez bavardé.

Defouqueblize, fort incommodément, quitta sa chaise. Tous deux s'acheminèrent, en titubant le long du couloir, vers le compartiment où la serviette du professeur était restée. Defouqueblize entra le premier; Lafcadio l'installa, prit congé. Il n'avait pas plus tôt tourné le dos pour repartir, que sur son épaule s'abattit une poigne puissante. Il fit volte-face aussitôt, Defouqueblize d'un bond s'était dressé... mais était-ce encore Defouqueblize — qui, d'une voix à la fois moqueuse, autoritaire et jubilante, s'écriait :

— Faudrait voir à ne pas abandonner si vite un ami,

monsieur Lafcadio Lonnesaitpluski!... Alors quoi! c'est
donc vrai! on avait voulu s'évader?

Du funambulesque professeur éméché de tout à l'heure
plus rien ne subsistait dans le grand gaillard vert et dru,
en qui Lafcadio n'hésitait plus à reconnaître Protos. Un
Protos grandi, élargi, magnifié et qui s'annonçait redoutable.

— Ah! c'est vous, Protos, dit-il simplement. J'aime
mieux cela. Je n'en finissais pas de vous reconnaître.

Car, pour terrible qu'elle fût, Lafcadio préférait une
réalité au saugrenu cauchemar dans lequel il se débattait
depuis une heure.

— J'étais pas mal grimé, hein?... Pour vous, je m'étais
mis en frais... Mais, tout de même, c'est vous qui devriez
porter des lunettes, mon garçon; ça vous jouera de mauvais tours, si vous ne reconnaissez pas mieux que ça les
subtils.

Que de souvenirs mal endormis ce mot de *subtil* faisait
lever dans l'esprit de Cadio! Un subtil, dans l'argot dont
Protos et lui se servaient du temps qu'ils étaient en pension
ensemble, un subtil, c'était un homme qui, pour quelque
raison que ce fût, ne présentait pas à tous ou en tous lieux
même visage. Il y avait, d'après leur classement, maintes
catégories de subtils, plus ou moins élégants et louables,
à quoi répondait et s'opposait l'unique grande famille des
crustacés, dont les représentants, du haut en bas de l'échelle
sociale, se carraient.

Nos copains tenaient pour admis ces axiomes : 1º Les
subtils se reconnaissent entre eux. 2º Les crustacés ne
reconnaissent pas les subtils. — Lafcadio se souvenait
maintenant de tout cela; comme il était de ces natures qui
se prêtent à tous les jeux, il sourit. Protos reprit :

— Tout de même, l'autre jour, heureux que je me sois
trouvé là, hein?... Ça n'était peut-être pas tout à fait par

hasard. J'aime à surveiller les novices : c'est imaginatif,
c'est entreprenant, c'est coquet... Mais ça s'imagine un peu
trop facilement pouvoir se passer de conseils. Votre travail
avait fameusement besoin de retouches, mon garçon!...
A-t-on idée de se coiffer d'un galurin pareil quand on se
met à la besogne? Avec l'adresse du fournisseur sur cette
pièce à conviction, on vous coffrait avant huit jours. Mais
pour les vieux amis, moi j'ai du cœur; et je le prouve.
Savez-vous que je vous ai beaucoup aimé, Cadio? J'ai
toujours pensé qu'on ferait quelque chose de vous. Beau
comme vous étiez, on aurait fait marcher pour vous toutes
les femmes, et chanter, qu'à cela ne tienne, plus d'un homme
par-dessus le marché. Que j'ai été heureux d'avoir enfin
de vos nouvelles et d'apprendre que vous veniez en Italie!
Ma parole! Il me tardait de savoir ce que vous étiez devenu
depuis le temps qu'on fréquentait chez notre ancienne.
Vous n'êtes pas mal encore, savez-vous! Ah! elle ne se
mouchait pas du pied, Carola!

L'irritation de Lafcadio devenait toujours plus manifeste,
et son effort pour la cacher; tout cela amusait grandement
Protos, qui feignait de n'en rien voir. Il avait tiré de la
poche de son gilet une petite rondelle de cuir et l'examinait.

— J'ai proprement découpé ça? hein!

Lafcadio l'aurait étranglé; il serrait les poings et ses
ongles entraient dans sa chair. L'autre continuait, gouailleur :

— Mince de service! Ça vaut bien les six billets de mille...
que, voulez-vous me dire pourquoi, vous n'avez pas empo-
chés?

Lafcadio sursauta :

— Me prenez-vous pour un voleur?

— Ecoutez, mon petit, reprit tranquillement Protos, je
n'aime pas beaucoup les amateurs; mieux vaut que je vous
le dise tout de suite franchement. Et puis, avec moi, vous

savez, il ne s'agit pas de faire le fanfaron, ni l'imbécile. Vous montrez des dispositions, c'est entendu, de brillantes dispositions, mais...

— Cessez de persifler, interrompit Lafcadio qui ne retenait plus sa colère. — Où prétendez-vous en venir? J'ai fait un pas de clerc l'autre jour; pensez-vous que j'aie besoin qu'on me l'apprenne? Oui, vous avez une arme contre moi; je ne vais pas examiner s'il serait bien prudent pour vous-même de vous en servir. Vous désirez que je rachète ce petit bout de cuir. Allons, parlez! Cessez de rire et de me dévisager ainsi. Vous voulez de l'argent. Combien?

Le ton était si décidé que Protos avait fait un petit retrait en arrière; il se ressaisit aussitôt.

— Tout beau! tout beau! dit-il. Que vous ai-je dit de malhonnête? On discute entre amis, posément. Pas de quoi s'emballer. Ma parole, vous avez rajeuni, Cadio.

Mais comme il lui caressait légèrement le bras, Lafcadio se dégagea dans un sursaut.

— Asseyons-nous, reprit Protos; nous serons mieux pour causer.

Il se cala dans un coin, à côté de la portière du couloir, et posa ses pieds sur l'autre banquette.

Lafcadio pensa qu'il prétendait barrer l'issue. Sans doute Protos était armé. Lui, présentement, ne portait aucune arme. Il réfléchit que dans un corps à corps il aurait sûrement le dessous. Puis, s'il avait un instant pu souhaiter de fuir, la curiosité déjà l'emportait, cette curiosité passionnée contre quoi rien, même sa sécurité personnelle, n'avait pu jamais prévaloir. Il s'assit.

— De l'argent? Ah! fi donc! dit Protos. Il sortit un cigare d'un étui, en offrit un à Lafcadio qui refusa. — La fumée vous gêne peut-être?... Eh bien, écoutez-moi. Il tira quelques bouffées de son cigare, puis, très calme :

— Non, non, Lafcadio, mon ami, non ce n'est pas de l'argent que j'attends de vous; mais de l'obéissance. Vous ne paraissez pas, mon garçon (excusez ma franchise), vous rendre un compte bien exact de votre situation. Il vous faut hardiment vous dresser en face d'elle; permettez-moi de vous y aider.

" Ainsi, de ces cadres sociaux qui nous enserrent, un adolescent a voulu s'échapper; un adolescent sympathique; et même tout à fait comme je les aime : naïf et gracieusement primesautier; car il n'apportait à cela, je présume, pas grand calcul... Je me souviens, Cadio, combien, dans le temps, vous étiez ferré sur les chiffres, mais que, pour vos propres dépenses, jamais vous ne consentiez à compter... Bref, le régime des crustacés vous dégoûte; je laisse quelque autre s'en étonner... Mais ce qui m'étonne, moi, c'est que, intelligent comme vous êtes, vous ayez cru, Cadio, qu'on pouvait si simplement que ça sortir d'une société, et sans tomber du même coup dans une autre; ou qu'une société pouvait se passer de lois.

" Lawless ", vous vous souvenez; nous avions lu cela quelque part : *Two bawks in the air, two fisches swimming in the sea not more lawless than we*... Que c'est beau la littérature! Lafcadio! mon ami, apprenez la loi des subtils.

— Vous pourriez peut-être avancer.

— Pourquoi se presser? Nous avons du temps devant nous. Je ne descends qu'à Rome. Lafcadio, mon ami, il arrive qu'un crime échappe aux gendarmes; je m'en vais vous expliquer pourquoi nous sommes plus malins qu'eux : c'est que nous, nous jouons notre vie. Où la police échoue, nous réussissons quelquefois. Parbleu; vous l'avez voulu, Lafcadio; la chose est faite et vous ne pouvez plus échapper. Je préférerais que vous m'obéissiez, parce que, voyez-vous, je serais vraiment désolé de devoir livrer un vieil ami comme vous à la police; mais qu'y faire? Désormais vous dépendez d'elle — ou de nous.

— Me livrer, c'est vous livrer vous-même...

— J'espérais que nous parlions sérieusement. Comprenez donc ceci, Lafcadio : la police coffre les insoumis; mais en Italie, volontiers elle compose avec les subtils. " Compose ", oui, je crois que c'est le mot. Je suis un peu de la police, mon garçon. J'ai l'œil. J'aide au bon ordre. Je n'agis pas : je fais agir.

" Allons! cessez de regimber, Cadio. Ma loi n'a rien d'affreux. Vous vous faites des exagérations sur ces choses; si naïf, si spontané! Pensez-vous que ce n'est pas déjà par obéissance, et parce que je le voulais ainsi, que vous avez repris sur l'assiette, à dîner, le bouton de Mademoiselle Venitequa? Ah! geste imprévoyant : geste idyllique! Mon pauvre Lafcadio! Vous en êtes-vous assez voulu de ce petit geste, hein? L'emmerdant, c'est que je n'ai pas été seul à le voir. Bah! ne vous frappez pas; le garçon, la veuve et l'enfant sont de mèche. Charmants. Il ne tient qu'à vous de vous en faire des amis. Lafcadio, mon ami, soyez raisonnable; vous soumettez-vous? .

Par excessif embarras peut-être, Lafcadio avait pris le parti de ne rien dire. Il restait, le torse raidi, les lèvres serrées, les yeux fixés droit devant lui. Protos reprit avec un haussement d'épaules :

— Drôle de corps! Et, en réalité, si souple!... Mais déjà vous auriez acquiescé, peut-être, si j'avais d'abord dit ce que nous attendons de vous. Lafcadio, mon ami, ôtez-moi d'un doute : Vous que j'avais quitté si pauvre, ne pas ramasser six billets de mille que le hasard jette à vos pieds, vous trouvez cela naturel?... Monsieur de Baraglioul père vint à mourir, m'a dit mademoiselle Venitequa, le lendemain du jour où le comte Julius, son digne fils, est venu

vous faire visite; et le soir de ce jour vous plaquiez mademoiselle Venitequa. Depuis, vos relations avec le comte
Julius sont devenues, ma foi, bien intimes; voudriez-vous
m'expliquer pourquoi?... Lafcadio, mon ami, dans le temps
je vous avais connu de nombreux oncles; votre pedigree,
depuis lors, me paraît s'être un peu bien embaraglioullé!...
Non! ne vous fâchez pas; je plaisante. Mais que voulez-
vous qu'on suppose?... à moins pourtant que vous ne
deviez directement à monsieur Julius votre présente fortune; ce qui (permettez-moi de vous le dire?) séduisant
comme vous l'êtes, Lafcadio, me paraîtrait sensiblement
plus scandaleux. D'une manière comme d'une autre, et
quoi que vous nous laissiez supposer, Lafcadio, mon ami,
l'affaire est claire et votre devoir est tracé : vous ferez chanter
Julius. Ne vous rebiffez pas, voyons! Le chantage est une
saine institution, nécessaire au maintien des mœurs. Eh!
quoi! vous me quittez?... Lafcadio s'était levé.

— Ah! laissez-moi passer, enfin! cria-t-il, enjambant le
corps de Protos; en travers du compartiment, étalé de
l'une à l'autre des deux banquettes, celui-ci ne fit aucun
geste pour le saisir. Lafcadio étonné de ne se sentir point
retenu, ouvrit la porte du couloir et, s'écartant :

— Je ne me sauve pas, n'ayez crainte. Vous pouvez me
garder à vue; mais tout, plutôt que de vous écouter plus
longtemps... Excusez-moi de vous préférer la police. Allez
l'avertir : je l'attends.

VI

Ce même jour, le train du soir amenait de Milan les
Anthime; comme ils voyageaient en troisième, ils ne
virent qu'à l'arrivée la comtesse de Baraglioul et sa fille

aînée qu'amenait de Paris le sleeping-car du même train.

Peu d'heures avant la dépêche de deuil, la comtesse avait reçu une lettre de son mari; le comte y parlait éloquemment de l'abondant plaisir apporté par la rencontre inopinée de Lafcadio; et sans doute n'y flottait aucune allusion à cette demi-fraternité qui, aux yeux de Julius, ornait d'un si perfide attrait le jeune homme. (Julius, fidèle à l'ordre de son père, ne s'en était ouvertement expliqué avec sa femme, pas plus qu'il n'avait fait avec l'autre), mais certaines allusions, certaines réticences, avertissaient suffisamment la comtesse; même je ne suis pas bien sûr que Julius à qui l'amusement manquait dans le trantran de sa vie bourgeoise, ne se fît pas un jeu de tourner autour du scandale et de s'y brûler le bout des doigts. Je ne suis pas sûr non plus que la présence à Rome de Lafcadio, l'espoir de le revoir, ne fût pas pour quelque chose, pour beaucoup, dans la décision que prit Geneviève d'accompagner là-bas sa mère.

Julius était à leur rencontre à la gare. Il les emmena rapidement au Grand-Hôtel, ayant quitté presque aussitôt les Anthime qu'il devait retrouver parmi le funèbre cortège, le lendemain. Ceux-ci regagnèrent, via di Bocca di Leone, l'hôtel où ils étaient descendus à leur premier séjour.

Marguerite apportait au romancier d'heureuses nouvelles: son élection ne faisait plus un pli; l'avant-veille, le cardinal André l'avait officieusement avertie : le candidat n'aurait même plus à recommencer ses visites; d'elle-même l'Académie venait à lui, portes ouvertes : on l'attendait.

— Tu vois bien! disait Marguerite. Qu'est-ce que je te disais à Paris? Tout vient à point. Dans ce monde, il suffit d'attendre.

— Et de ne pas changer, reprenait avec componction

Julius en portant la main de son épouse à ses lèvres, et sans voir le regard de sa fille, fixé sur lui, se charger de mépris. — Fidèle à vous, à mes pensées, à mes principes. La persévérance est la plus indispensable vertu.

Déjà s'éloignaient de lui le souvenir de sa plus récente embardée, et toute autre pensée qu'orthodoxe, et tout autre projet que décent. A présent renseigné, il se ressaisissait sans effort. Il admirait cette conséquence subtile par quoi son esprit s'était un instant dérouté. Lui n'avait pas changé : c'était le pape.

— Quelle constance de ma pensée, tout au contraire, se disait-il; quelle logique! Le difficile, c'est de savoir à quoi s'en tenir. Ce pauvre Fleurissoire en est mort, d'avoir pénétré les coulisses. Le plus simple, quand on est simple, c'est de s'en tenir à ce qu'on sait. Ce hideux secret l'a tué. La connaissance ne fortifie jamais que les forts... N'importe; je suis heureux que Carola ait pu prévenir la police; ça me permet de méditer plus librement... Tout de même, s'il savait que ce n'est pas au VRAI Saint-Père qu'il doit son infortune et son exil, quelle consolation pour Armand-Dubois! quel encouragement dans sa foi! quel soulas!... Demain, après la cérémonie funèbre, je ferai bien de lui parler.

Cette cérémonie n'attira pas grande affluence. Trois voitures suivaient le corbillard. Il pleuvait. Dans la première voiture Blafaphas accompagnait amicalement Arnica (dès que le deuil aura pris fin, il l'épousera sans nul doute); tous deux partis de Pau l'avant-veille (abandonner la veuve à son chagrin, la laisser seule entreprendre ce long voyage, Blafaphas n'en supportait pas la pensée; et quand bien même! Pour n'être pas de la famille, il n'en avait pas moins pris le deuil; quel parent valait un tel ami?), mais arrivés à Rome depuis quelques heures à peine, par suite d'un ratage de train.

Dans la dernière voiture avait pris place Mme Armand-Dubois avec la comtesse et sa fille; dans la seconde le comte avec Anthime Armand-Dubois.

Sur la tombe de Fleurissoire, il ne fut fait aucune allusion à sa malchanceuse aventure. Mais, au retour du cimetière, Julius de Baraglioul, de nouveau seul avec Anthime, commença :

— Je vous avais promis d'intercéder pour vous près du Saint-Père.

— Dieu m'est témoin que je ne vous en avais pas prié.

— Il est vrai : outré du dénuement où vous abandonnait l'Eglise, je n'avais écouté que mon cœur.

— Dieu m'est témoin que je ne me plaignais point.

— Je sais!... Je sais!... M'avez-vous assez agacé avec votre résignation! Et même, puisque vous m'invitez à y revenir, je vous avouerai, mon cher Anthime, que je reconnaissais là moins de sainteté que d'orgueil et que l'excès de cette résignation, la dernière fois que je vous vis à Milan, m'avait paru beaucoup plus près de la révolte que de la véritable piété, et m'avait grandement incommodé dans ma foi. Dieu ne vous en demandait pas tant, que diable! Parlons franc! votre attitude m'avait choqué.

— La vôtre, je puis donc aussi vous l'avouer, m'avait attristé, mon cher frère. N'est-ce pas vous, précisément, qui m'incitiez à la révolte, et...

Julius qui s'échauffait, l'interrompit :

— J'avais suffisamment éprouvé par moi-même, et donné à entendre aux autres dans tout le cours de ma carrière, qu'on peut être parfait chrétien sans pourtant faire fi des légitimes avantages que nous offre le rang où Dieu a trouvé sage de nous placer. Ce que je reprochais à votre attitude, c'était précisément, par son affectation, de sembler prendre avantage sur la mienne.

— Dieu m'est témoin que...

— Ah! ne protestez pas toujours! interrompit de nouveau Julius. — Dieu n'a que faire ici. Je vous explique précisément, quand je dis que votre attitude était tout près de la révolte... j'entends : de ma révolte à moi; et c'est là précisément ce que je vous reproche : c'est, en acceptant l'injustice, de laisser autrui se révolter pour vous. Car je n'admettais pas, moi, que l'Église fût dans son tort; et votre attitude, sans avoir l'air d'y toucher, l'y mettait. J'avais donc résolu de me plaindre à votre place. Vous allez voir bientôt combien j'avais raison de m'indigner.

Julius dont le front s'emperlait posa sur ses genoux son haut-de-forme.

— Voulez-vous que je donne un peu d'air? et Anthime, complaisamment, baissa la vitre de son côté.

— Sitôt à Rome, reprit Julius, je sollicitai donc une audience. Je fus reçu. Un étrange succès devait couronner ma démarche...

— Ah! dit indifféremment Anthime.

— Oui, mon ami. Car si je n'obtins en l'espèce rien de ce que j'étais venu réclamer, je remportai du moins de ma visite une assurance... qui mettait notre Saint-Père à l'abri de toutes les suppositions injurieuses que nous formions à son endroit.

— Dieu m'est témoin que je n'ai jamais rien formulé d'injurieux à l'endroit de notre Saint-Père.

— Je formulais pour vous. Je vous voyais lésé; je m'indignais.

— Arrivez au fait, Julius : vous avez vu le pape?

— Eh bien, non! je n'ai pas vu le pape, éclata enfin

Julius — mais je me suis saisi d'un secret; secret douteux d'abord, mais qui bientôt, par la mort de notre cher Amédée, devait trouver une confirmation soudaine; secret effroyable, déconcertant, mais où votre foi, cher Anthime, saura puiser du réconfort. Car sachez que de ce déni de justice dont vous fûtes victime, le pape est innocent...

— Eh! je n'en ai jamais douté.

— Anthime, écoutez bien : Je n'ai pas vu le pape parce que personne ne peut le voir; celui qui présentement est assis sur le trône pontifical et que l'Église écoute et qui promulgue; celui qui m'a parlé, le pape qu'on voit au Vatican, le pape que j'ai vu N'EST PAS LE VRAI.

Anthime, à ces mots, commença d'être secoué tout entier d'un gros rire.

— Riez! riez! reprit Julius piqué. Moi aussi je riais d'abord. Eussé-je un peu moins ri, on n'eût pas assassiné Fleurissoire. Ah! saint ami! tendre victime!... Sa voix expira dans les sanglots.

— Dites donc! c'est sérieux ce que vous nous baillez là?... Ah mais!... Ah mais!... Ah mais!... fit Armand-Dubois que le pathos de Julius inquiétait. — C'est que tout de même il faudrait savoir...

— C'est pour avoir voulu savoir qu'il est mort.

— Parce qu'enfin, si j'ai fait bon marché de mes biens, de ma situation, de ma science, si j'ai consenti qu'on me jouât... continuait Anthime qui peu à peu à son tour se montait.

— Je vous le dis : de tout cela *le vrai* n'est en rien responsable; celui qui vous jouait, c'est un suppôt du Quirinal.

— Dois-je croire à ce que vous dites?

— Si vous ne me croyez pas, croyez-en ce pauvre martyr.

Tous deux demeurèrent quelques instants silencieux.

Il avait cessé de pleuvoir; un rayon écartait la nue. La voiture avec de lents cahots rentrait dans Rome.

— Dans ce cas, je sais ce qui me reste à faire, reprit Anthime, de sa voix la mieux décidée : Je vends la mèche.

Julius sursauta.

— Mon ami, vous m'épouvantez. Sûr, vous allez vous faire excommunier.

— Par qui ? Si c'est par un faux pape, on s'en fout.

— Et moi qui pensais vous aider à goûter dans ce secret quelque vertu consolatrice, reprit Julius consterné.

—Vous plaisantez?... Et qui me dira si Fleurissoire en arrivant au paradis n'y découvre pas tout de même que son bon Dieu non plus n'est pas *le vrai*?

— Voyons; mon cher Anthime, vous divaguez. Comme s'il pouvait y en avoir deux! comme s'il pouvait y en avoir UN AUTRE.

— Non, mais vraiment vous en parlez trop à votre aise, vous qui n'avez pour *lui* rien délaissé; vous à qui, vrai ou faux, tout profite.;.. Ah! tenez, j'ai besoin de m'aérer.

Penché sur la portière il toucha du bout de sa canne l'épaule du cocher et fit arrêter la voiture. Julius s'apprêtait à descendre avec lui.

— Non! laissez-moi. J'en sais assez pour me conduire. Gardez le reste pour un roman. Pour moi, j'écris au grand Maître de l'Ordre ce soir même, et dès demain je reprends mes chroniques scientifiques de *La Dépêche*. On rira bien.

— Quoi! vous boitez, dit Julius, surpris de le voir de nouveau clopiner.

— Oui, depuis quelques jours, mes douleurs m'ont repris.

— Ah! vous m'en direz tant! fit Julius qui, sans le regarder s'éloigner, se rencogna dans la voiture.

VII

Protos était-il dans l'intention de livrer Lafcadio à la police, ainsi qu'il l'en avait menacé?

Je ne sais : l'événement prouva du reste qu'il ne comptait point, parmi ces messieurs de la police, rien que des amis. Ceux-ci, prévenus la veille par Carola, avaient dressé, vicolo dei Vecchierelli, leur souricière; ils connaissaient de longue date la maison et savaient qu'elle offrait, à l'étage supérieur, de faciles communications avec la maison voisine, dont ils gardèrent également les issues.

Protos ne craignait point les argousins; l'accusation ne lui faisait point peur, ni l'appareil de la justice; il se savait peu facile à saisir, coupable en réalité d'aucun crime, et rien que de délits si menus qu'ils échapperaient à la prise. Donc il ne s'effraya pas à l'excès lorsqu'il comprit qu'il était cerné et c'est ce qu'il comprit très vite, ayant un flair particulier pour reconnaître, sous n'importe quel déguisement, ces messieurs.

A peine un peu perplexe, il s'enferma d'abord dans la chambre de Carola, attendant le retour de celle-ci qu'il n'avait pas revue depuis l'assassinat de Fleurissoire; il était désireux de lui demander conseil et laisser quelques indications, au cas probable où il ferait du bloc.

Carola cependant, déférant aux volontés de Julius, n'avait point paru au cimetière; nul ne sut que, cachée derrière un mausolée et sous un parapluie, elle assistait de loin à la triste cérémonie. Elle attendit patiemment, humblement, que fussent désertés les abords de la tombe fraîche; elle vit se reformer le cortège, Julius remonter avec Anthime et les voitures, sous la pluie fine, s'éloigner. Alors elle s'approcha de la tombe à son tour, sortit de dessous son fichu un gros bouquet d'asters qu'elle posa, loin à l'écart des couronnes de la famille : puis resta longuement sous la pluie, ne regardant rien, ne pensant à rien, et pleurant faute de prières.

Lorsqu'elle revint vicolo dei Vecchierelli, elle distingua bien, sur le seuil, deux figures insolites; ne comprit point pourtant que la maison était gardée. Il lui tardait de rejoindre Protos; ne doutant point que ce ne fût l'assassin, elle le haïssait à présent...

Quelques instants plus tard la police accourait à ses cris; trop tard, hélas! Exaspéré de se savoir livré par elle, Protos venait d'étrangler Carola.

Ceci se passait vers midi. Les journaux du soir en publiaient déjà la nouvelle, et comme on avait trouvé sur Protos la découpure de la coiffe du chapeau, sa double culpabilité ne laissait de doute pour personne.

Lafcadio cependant avait vécu jusqu'au soir dans une attente ou une crainte vague, non point peut-être de la police dont l'avait menacé Protos, mais de Protos lui-même ou de je ne sais quoi dont il ne cherchait plus à se défendre. Une incompréhensible torpeur pesait sur lui, qui n'était peut-être que de la fatigue : il renonçait.

La veille il n'avait revu Julius qu'un instant, lorsque celui-ci, à l'arrivée du train de Naples, était allé prendre livraison du cadavre; puis il avait longtemps marché au travers de la ville, au hasard, pour user cette exaspération que lui laissait, après la conversation du wagon, le sentiment de sa dépendance.

Et pourtant la nouvelle de l'arrestation de Protos n'apporta pas à Lafcadio le soulagement qu'il eût pu croire. On eût dit qu'il était déçu. Bizarre être! D'autant qu'il n'avait plus délibérément repoussé tout profit matériel du crime, il ne se dessaisissait volontiers d'aucun des risques de la partie. Il n'admettait pas qu'elle fût aussitôt finie. Volontiers, comme il faisait naguère aux échecs, il eût donné la tour à l'adversaire, et, comme si l'événement tout à coup lui faisait le gain trop facile et désintéressait tout son jeu il sentait qu'il n'aurait de cesse qu'il n'eût poussé plus loin le défi.

Il dîna dans une trattoria voisine, pour n'avoir pas à se mettre en habit. Sitôt après, rentrant à l'hôtel, il aperçut, à travers la porte vitrée du restaurant, le comte Julius, attablé en compagnie de sa femme et de sa fille. Il fut frappé par la beauté de Geneviève qu'il n'avait pas revue depuis sa première visite. Il s'attardait dans le fumoir, attendant la fin du repas, lorsqu'on vint l'avertir que le comte était remonté dans sa chambre et l'attendait.

Il entra. Julius de Baraglioul était seul; il s'était remis en veston.

— Eh bien; l'assassin est coffré, dit-il aussitôt en lui tendant la main.

Mais Lafcadio ne la prit pas. Il restait dans l'embrasure de la porte.

— Quel assassin? demanda-t-il.

— L'assassin de mon beau-frère, parbleu.

— L'assassin de votre beau-frère, c'est moi.

Il dit cela sans trembler, sans changer de ton, sans baisser la voix, sans un geste, et d'une voix si naturelle que Julius d'abord ne comprit pas. Lafcadio dut se répéter :

— On n'a pas arrêté, vous dis-je, l'assassin de Monsieur votre beau-frère, pour cette raison que l'assassin de Monsieur votre beau-frère, c'est moi.

Lafcadio aurait été d'aspect farouche, que peut-être Julius aurait pris peur; mais son air était enfantin. Même il

paraissait plus jeune encore que la première fois que l'avait
rencontré Julius; son regard était aussi limpide, sa voix
aussi claire. Il avait refermé la porte, mais restait accoté
contre elle. Julius, près de la table, s'affala dans un fauteuil.

— Mon pauvre enfant, dit-il d'abord, parlez plus bas : ...
Qu'est-ce qui vous a pris? Comment auriez vous fait cela?

Lafcadio baissa la tête, déjà regrettant d'avoir parlé.

— Est-ce qu'on sait? J'ai fait ça très vite, pendant que
j'avais envie de le faire.

— Qu'aviez-vous contre Fleurissoire, ce digne homme
si plein de vertus?

— Je ne sais pas... Il n'avait pas l'air heureux... Comment
voulez-vous que je vous explique ce que je ne puis m'expliquer moi-même?

Un pénible silence croissait entre eux, que leurs paroles
rompaient par saccades, puis qui se refermait plus profond;
on entendait alors les vagues d'une banale musique napolitaine monter du grand hall de l'hôtel. Julius grattait du
bout de l'ongle de son petit doigt, qu'il portait en pointe et
fort long, une petite tache de bougie, sur le tapis de la
table. Soudain il s'aperçut que ce bel ongle était cassé.
C'était une froissure transversale qui ternissait dans toute
sa largeur le ton carné du cabochon. Comment avait-il fait
cela? Et comment ne s'en était-il pas aussitôt aperçu?
Quoi qu'il en fût, le mal était irréparable; Julius n'avait plus
rien à faire qu'à couper. Il en éprouva une contrariété très
vive, car il prenait grand soin de ses mains et de cet ongle
en particulier qu'il avait lentement formé et qui faisait
valoir le doigt dont il accusait l'élégance. Les ciseaux
étaient dans le tiroir de la table de toilette et Julius allait
se lever pour les prendre, mais il eût fallu passer devant
Lafcadio; plein de tact, il remit à plus tard la délicate
opération.

— Et... qu'est-ce que vous comptez faire à présent?
dit-il.

— Je ne sais pas. Peut-être me livrer. Je me donne la
nuit pour réfléchir.

Julius laissa retomber son bras contre le fauteuil; il
contempla quelques instants Lafcadio, puis, sur un ton tout
découragé, soupira :

— Et moi qui commençais à vous aimer!...

C'était dit sans méchante intention. Lafcadio ne s'y
pouvait méprendre. Mais, pour inconsciente, cette phrase
n'en était pas moins cruelle, et l'atteignit au cœur. Il releva
la tête, raidi contre l'angoisse qui brusquement l'étreignait.
Il regarda Julius : — Est-ce là vraiment celui dont hier je
me sentais presque le frère? se disait-il. Il promena ses
regards dans cette pièce où, l'avant-veille, malgré son
crime, il avait pu causer si joyeusement; le flacon de parfum
était encore sur la table, presque vide.

— Écoutez, Lafcadio, reprit Julius : votre situation ne
me paraît pas absolument désespérée. L'auteur présumé de
ce crime...

— Oui, je sais qu'on vient de l'arrêter, interrompit
Lafcadio sèchement : Allez-vous me conseiller de laisser
accuser à ma place un innocent?

— Celui que vous appelez : un innocent, vient d'assassiner une femme; et même que vous connaissiez...

— Cela me met à l'aise, n'est-ce pas?

— Je ne dis pas précisément cela, mais...

— Ajoutons qu'il est le seul précisément qui pouvait
me dénoncer.

— Tout n'est pas sans espoir, vous voyez bien.

Julius se leva, se dirigea vers la fenêtre, rectifia les plis
du rideau, revint sur ses pas, puis, penché en avant, les
bras croisés sur le dos du fauteuil qu'il venait de quitter :

— Lafcadio, je ne voudrais pas vous laisser partir sans un conseil : Il ne tient qu'à vous, j'en suis convaincu, de redevenir un honnête homme, et de prendre rang dans la société, autant du moins que votre naissance le permet... L'Église est là pour vous aider. Allons; mon garçon, un peu de courage : allez vous confesser.

Lafcadio ne put réprimer un sourire :

— Je vais réfléchir à vos obligeantes paroles. — Il fit un pas en avant, puis : — Sans doute préférez-vous ne pas toucher une main d'assassin. Je voudrais pourtant vous remercier de votre...

— C'est bien; c'est bien, fit Julius, avec un geste cordial et distant. — Adieu, mon garçon. Je n'ose vous dire : au revoir. Pourtant, si, dans la suite, vous...

— Pour le moment, vous ne voyez plus rien à me dire?

— Plus rien pour le moment.

— Adieu, Monsieur.

Lafcadio salua gravement et sortit.

Il regagna sa chambre, à l'étage au-dessus. Il se dévêtit à demi, se jeta sur son lit. La fin du jour avait été très chaude; la nuit n'avait pas apporté de fraîcheur. Sa fenêtre était large ouverte, mais aucun souffle n'agitait l'air; les lointains globes électriques de la place des Thermes, dont le séparaient les jardins, emplissaient sa chambre d'une bleuâtre et diffuse clarté qu'on eût cru venir de la lune. Il voulait réfléchir, mais une torpeur étrange engourdissait désespérément sa pensée; il ne songeait ni à son crime, ni aux moyens de s'échapper; il essayait seulement de ne plus entendre ces mots atroces de Julius : " Je commençais de vous aimer "... Si lui n'aimait pas Julius, ces mots méritaient-ils ses larmes? Était-ce vraiment pour cela qu'il pleurait?... La nuit était si douce, il lui semblait qu'il n'aurait eu qu'à se laisser aller pour mourir. Il atteignit une carafe d'eau près de son lit, trempa un mouchoir et l'appliqua sur son cœur qui lui faisait mal.

— Nulle boisson de ce monde ne rafraîchira plus désormais ce cœur sec; se disait-il, laissant couler ses larmes jusqu'à ses lèvres pour en savourer l'amertume. Des vers chantent à son oreille lus il ne savait où, dont il ne savait pas se souvenir :

> *My heart aches; a drowsy numbness pains*
> *My senses...*

Il s'assoupit.

Rêve-t-il? N'a-t-il pas entendu frapper à sa porte? La porte, que jamais il ne ferme la nuit, doucement s'ouvre, pour laisser une frêle forme blanche avancer. Il entend appeler faiblement :

— Lafcadio... Êtes-vous ici, Lafcadio?

A travers son demi-sommeil, Lafcadio reconnaît pourtant cette voix. Mais doute-t-il encore de la réalité d'une apparition si plaisante? Craint-il qu'un mot, qu'un geste ne la mette en fuite?... Il se tait.

Geneviève de Baraglioul, dont la chambre était à côté de celle de son père, avait tout entendu, malgré elle, de la conversation entre son père et Lafcadio. Une intolérable angoisse l'avait poussée jusqu'à la chambre de celui-ci, et puisqu'à présent son appel restait sans réponse, persuadée que Lafcadio venait de se tuer, elle se jeta vers le chevet du lit et tomba à genoux sanglotante.

Comme elle restait ainsi, Lafcadio se souleva, se pencha, tout entier rassemblé vers elle, sans pourtant oser encore poser ses lèvres sur le beau front que dans l'ombre il voyait

250 LES CAVES DU VATICAN

luire. Geneviève de Baraglioul sentit alors toute sa volonté se défaire; rejetant en arrière ce front que déjà l'haleine de Lafcadio caressait, et ne sachant plus en appeler contre lui, qu'à lui-même :

— Ayez pitié de moi, mon ami, dit-elle.

Lafcadio se ressaisit aussitôt, et s'écartant d'elle et la repoussant à la fois :

— Relevez-vous, mademoiselle de Baraglioul. Retirez-vous! Je ne suis pas... je ne peux plus être votre ami.

Geneviève se releva, mais ne s'écarta pas du lit où restait à demi couché celui qu'elle avait cru mort et, touchant tendrement le front brûlant de Lafcadio comme pour s'assurer qu'il vivait :

— Mais, mon ami, j'ai tout entendu de ce que vous avez dit ce soir à mon père. Ne comprenez-vous pas que c'est pour cela que je viens?

Lafcadio, se redressant à demi, la regarda. Ses cheveux dénoués retombaient autour d'elle; tout son visage était dans l'ombre, de sorte qu'il ne distinguait pas ses yeux, mais sentait l'envelopper son regard. Comme s'il n'en pouvait supporter la douceur, cachant sa face dans ses mains :

— Ah! pourquoi vous ai-je rencontrée si tard? gémit-il. Qu'ai-je fait pour que vous m'aimiez? Pourquoi me parlez-vous ainsi, quand déjà je ne suis plus libre et plus digne de vous aimer.

Elle protesta tristement :

— C'est vers vous que je viens, Lafcadio, non vers un autre. C'est vers vous criminel. Lafcadio! que de fois j'ai soupiré votre nom, depuis ce premier jour où vous m'êtes apparu en héros, et même un peu trop téméraire... Il faut que vous le sachiez maintenant : en secret je m'étais promise à vous dès l'instant où je vous ai vu vous dévouer d'une manière si magnanime. Que s'est-il donc passé depuis?

Se peut-il que vous ayez tué? Que vous êtes-vous laissé devenir?

Et comme Lafcadio sans répondre secouait la tête :

— N'ai-je pas entendu mon père dire qu'un autre était arrêté? reprit-elle; un bandit qui venait de tuer... Lafcadio! tandis qu'il en est temps encore, sauvez-vous; dès cette nuit, partez! Partez.

Alors Lafcadio :

— Je ne peux plus, murmura-t-il. Et comme les cheveux défaits de Geneviève touchaient ses mains il les saisit, les pressa passionnément sur ses yeux, sur ses lèvres : — Fuir; est-ce là ce que vous me conseillez? Mais où voulez-vous maintenant que je fuie? Quand bien même j'échapperais à la police, je n'échapperais pas à moi-même... Et puis vous me mépriseriez d'échapper.

— Moi! vous mépriser, mon ami...

— Je vivais inconscient; j'ai tué comme dans un rêve; un cauchemar où, depuis, je me débats...

— Dont je veux vous arracher, cria-t-elle.

— Pourquoi me réveiller? si c'est pour me réveiller criminel. Il lui saisit le bras : — Ne comprenez-vous pas que j'ai l'impunité en horreur? Que me reste-t-il à faire à présent? sinon, quand le jour paraîtra, me livrer.

— C'est à Dieu qu'il faut vous livrer, non aux hommes. Si mon père ne vous l'avait point dit, je vous le dirais à présent : Lafcadio, l'Église est là pour vous prescrire votre peine et pour vous aider à retrouver la paix, par-delà votre repentir.

Geneviève a raison; et certes Lafcadio n'a rien de mieux à faire qu'une commode soumission; il l'éprouvera tôt ou tard, et que les autres issues sont bouchées... Fâcheux que ce soit cette andouille de Julius qui lui ait conseillé cela d'abord!

— Quelle leçon me récitez-vous là? dit-il hostilement. Est-ce vous qui me parlez ainsi?

Il laisse aller le bras qu'il retenait, le repousse; et tandis que Geneviève s'écarte, il sent grandir en lui, avec je ne sais quelle rancune contre Julius, le besoin de détourner Geneviève, de son père, de l'amener plus bas, plus près de lui; comme il baisse les yeux, il distingue, chaussés de petites mules de soie, ses pieds nus.

— Ne comprenez-vous pas que ce n'est pas le remords que je crains, mais...

Il a quitté son lit; il se détourne d'elle; il va vers la fenêtre ouverte; étouffe; il appuie son front à la vitre et ses paumes brûlantes sur le fer glacé du balcon; il voudrait oublier qu'elle est là, qu'il est près d'elle...

— Mademoiselle de Baraglioul, vous avez fait pour un criminel tout ce qu'une jeune fille de bonne famille peut tenter; même presque un peu plus; je vous en remercie de tout mon cœur. Il vaut mieux que vous me laissiez à présent. Retournez à votre père, à vos coutumes, à vos devoirs... Adieu. Qui sait si je vous reverrai? Songez que c'est pour être un peu moins indigne de l'affection que vous me témoignez, que j'irai me livrer demain. Songez que... Non! ne m'approchez pas... Pensez-vous qu'une poignée de main me suffirait?

Geneviève braverait le courroux de son père, l'opinion du monde et ses mépris, mais devant ce ton glacé de Lafcadio, le cœur lui manque. N'a-t-il donc pas compris que pour venir ainsi, la nuit, lui parler, lui faire ainsi l'aveu de son amour, elle non plus n'est pas sans résolution ni courage et que son amour vaut peut-être mieux qu'un merci?... Mais comment lui dirait-elle qu'elle aussi, jusqu'à ce jour, s'agitait comme dans un rêve — un rêve dont elle n'échappait par instants qu'à l'hôpital où, parmi les pauvres enfants et pansant leurs plaies véritables, il lui semblait prendre parfois contact, enfin, avec quelque réalité — un médiocre rêve où s'agitaient à ses côtés ses parents et se dressaient toutes les conventions saugrenues de leur monde, et qu'elle ne parvenait pas à prendre leurs gestes non plus que leurs opinions, leurs ambitions, leurs principes, non plus que leur personne même, au sérieux. Quoi d'étonnant si Lafcadio n'avait pas pris au sérieux Fleurissoire !... Se peut-il qu'ils se séparent ainsi? L'amour la pousse, l'élance vers lui. Lafcadio la saisit, la presse, couvre son pâle front de baisers...

Ici commence un nouveau livre.

O vérité palpable du désir; tu repousses dans la pénombre les fantômes de mon esprit.

Nous quitterons nos deux amants à cette heure du chant du coq où la couleur, la chaleur et la vie vont triompher enfin de la nuit. Lafcadio, au-dessus de Geneviève endormie, se soulève. Pourtant ce n'est pas le beau visage de son amante, ce front que trempe une moiteur, ces paupières nacrées, ces lèvres chaudes entrouvertes, ces seins parfaits, ces membres las, non, ce n'est rien de tout cela qu'il contemple — mais, par la fenêtre grande ouverte, l'aube où frissonne un arbre du jardin.

Il sera bientôt temps que Geneviève le quitte; mais il attend encore; il écoute, penché sur elle, à travers son souffle léger, la vague rumeur de la ville qui déjà secoue sa torpeur. Au loin, dans les casernes, le clairon chante. Quoi! va-t-il renoncer à vivre? et pour l'estime de Geneviève, qu'il estime un peu moins depuis qu'elle l'aime un peu plus, songe-t-il encore à se livrer?

ŒUVRES D'ANDRÉ GIDE (suite)

Théâtre

THÉÂTRE (Saül, Le roi Candaule, Œdipe, Perséphone, Le treizième arbre).
LES CAVES DU VATICAN, *farce d'après la sotie du même auteur.*
LE PROCÈS, en collaboration avec J.-L. Barrault,
d'après le roman de Kafka.

Correspondance

CORRESPONDANCE AVEC FRANCIS JAMMES (1893-1938).
(*Préface et notes de Robert Mallet.*)

CORRESPONDANCE AVEC PAUL CLAUDEL (1899-1926).
(*Préface et notes de Robert Mallet.*)

CORRESPONDANCE AVEC PAUL VALÉRY (1890-1942).
(*Préface et notes de Robert Mallet.*)

CORRESPONDANCE AVEC ANDRÉ SUARÈS (1908-1920).
(*Préface et notes de Sidney D. Braun.*)

CORRESPONDANCE AVEC ROGER MARTIN DU GARD
Tome I : 1913-1934.
Tome II : 1935-1951.
(*Introduction par Jean Delay.*)

CORRESPONDANCE AVEC FRANÇOIS MAURIAC (1912-1950). (*Introduction
et notes de Jacqueline Morton — Cahiers André Gide, n° 2.*)

Bibliothèque de la Pléiade

JOURNAL 1889-1939. SOUVENIRS.
JOURNAL 1939-1949. SOUVENIRS.
ANTHOLOGIE DE LA POÉSIE FRANÇAISE.
ROMANS, RÉCITS ET SOTIES, Œuvres lyriques.

Chez d'autres éditeurs :

DOSTOÏEVSKY (Plon).
ESSAI SUR MONTAIGNE (J. Schiffrin)
(*Épuisé*).
NUMQUID ET TU? (J. Schiffrin)
(*Épuisé*).
L'IMMORALISTE (Mercure de France).
UN ESPRIT NON PRÉVENU (Kra).

LA PORTE ÉTROITE (Mercure
de France).
PRÉTEXTES (Mercure de France).
NOUVEAUX PRÉTEXTES (Mercure
de France).
OSCAR WILDE (In Memoriam — De
Profundis) (Mercure de France).

Dans Le Livre de Poche :

LA PORTE ÉTROITE.
LES CAVES DU VATICAN.
L'IMMORALISTE.
ISABELLE.

LES FAUX-MONNAYEURS.
PALUDES.
SAÜL.
SI LE GRAIN NE MEURT.

LES NOURRITURES TERRESTRES *suivi de* LES NOUVELLES NOURRITURES.
L'ÉCOLE DES FEMMES *suivi de* ROBERT.
LA SYMPHONIE PASTORALE.

TABLE DES MATIÈRES

IMPRIMÉ EN FRANCE PAR BRODARD ET TAUPIN
6, place d'Alleray - Paris.
Usine de La Flèche, le 19-11-1971.
6362-5 - Dépôt légal n° 1148, 4e trimestre 1971.
1er Dépôt : 1er trimestre 1956.
LE LIVRE DE POCHE - 22, avenue Pierre 1er de Serbie - Paris
30 - 11 - 0183 - 18

30/0183/1